樋口愉美子の
ステッチ 12 か月

文化出版局

はじめに

ゆっくりと流れる季節を思いながら一針一針を刺すことは、
わたしにとってとても愉しく胸踊る時間であり、
豊かな自然の恵みに感謝の気持ちを込めることでもあります。

草花や野菜、鳥や昆虫、雪や星、人びとを含めたすべての生き物の緩やかな循環。
春は芽吹き育ち、夏には遊びひしめき、秋には色づき熟し、冬には安らぎ更ける。
このような月日の移り変りを12か月というテーマでつづりました。
それぞれが小さな一針からはじまり、繰り返し季節をめぐります。

本書で紹介する図案は、簡単なものから練度と根気が必要なものまでさまざまです。
刺繍をはじめて間もないかたには、それぞれに含まれる一つのモチーフを刺して
楽しむことをおすすめします。
また、でき上がった作品は、雑貨に仕立てることはもちろんですが、
ぜひパネルにはってアートとして壁に飾ってみてください。

何でも手に入れられる今だからこそ、
忘れていた手仕事の愉しさや安らぎを感じていただけたらと思います。

樋口愉美子

Contents

January

6 / 56 *Camellia ver. 10 colors*
椿10色

7 / 57 *Camellia*
椿

8 / 58 *Peacock feather*
孔雀の羽

9 / 59 *Snow flower*
雪の花

February

10 / 60 *Skier*
スキーヤー

11 / 61 *Valentine heart*
バレンタインハート

12 / 58 *Sweet flower*
スイートフラワー

March

13 / 62 *Mimosa*
ミモザ

14 / 62 *Little flower*
小さな花パターン

15 / 63 *Narcissus garden*
水仙の庭

April

16 / 64 *Dandelion*
ライオンの紋章

17 / 65 *Spring flower*
春の花模様

18 / 66 *Garden*
ガーデン

May

20 / 68 *Lily of the valley*
スズラン

22 / 69 *Insect and wreath*
虫とリース

23 / 70 *Pteridophyte*
シダ植物

June

24 / 71 *Drop flower*
しずくの花模様

25 / 72 *June bride*
ジューンブライド

26 / 71 *Hydrangea*
あじさい

July

27 / 73　*Sand shell*
　　　　砂場と貝殻

28 / 74　*Swimmer*
　　　　スイマー

30 / 75　*Sea wreath*
　　　　海のリース

August

31 / 76　*Succulent*
　　　　サキュレント

32 / 77　*Summer flower garden*
　　　　夏の花園

33 / 78　*Tropical bird*
　　　　熱帯の鳥

September

34 / 79　*Butterfly*
　　　　チョウ

35 / 80　*Vegetable*
　　　　野菜

36 / 81　*Leaf*
　　　　木の葉

October

38 / 82　*Seed*
　　　　種の模様

39 / 82　*Seed ver. 10 colors*
　　　　種の模様 10 色

40 / 83　*Autumn pattern*
　　　　秋の幾何学模様

41 / 79　*Halloween pumpkin*
　　　　ハロウィーンパンプキン

November

42 / 84　*Deep forest*
　　　　深い森

43 / 83　*Pomegranate tree*
　　　　ザクロの木

44 / 85　*Autumn tree*
　　　　秋の木

December

45 / 86　*Christmas tree*
　　　　クリスマスツリー

46 / 87　*Angel*
　　　　星空の天使

48 / 87　*Falling star*
　　　　流れ星

How to make

50　*Tools*　道具

51　*Materials*　材料

52　ステッチと刺繍の基本

55　パネルの作り方

January

Camellia ver. 10 colors
Page.56

椿 10色

10色の糸で刺した椿。ピンク系でまとめて、華やかですが大人っぽい仕上りです。1色とはまた違った表情に！

Camellia
椿
Page.57

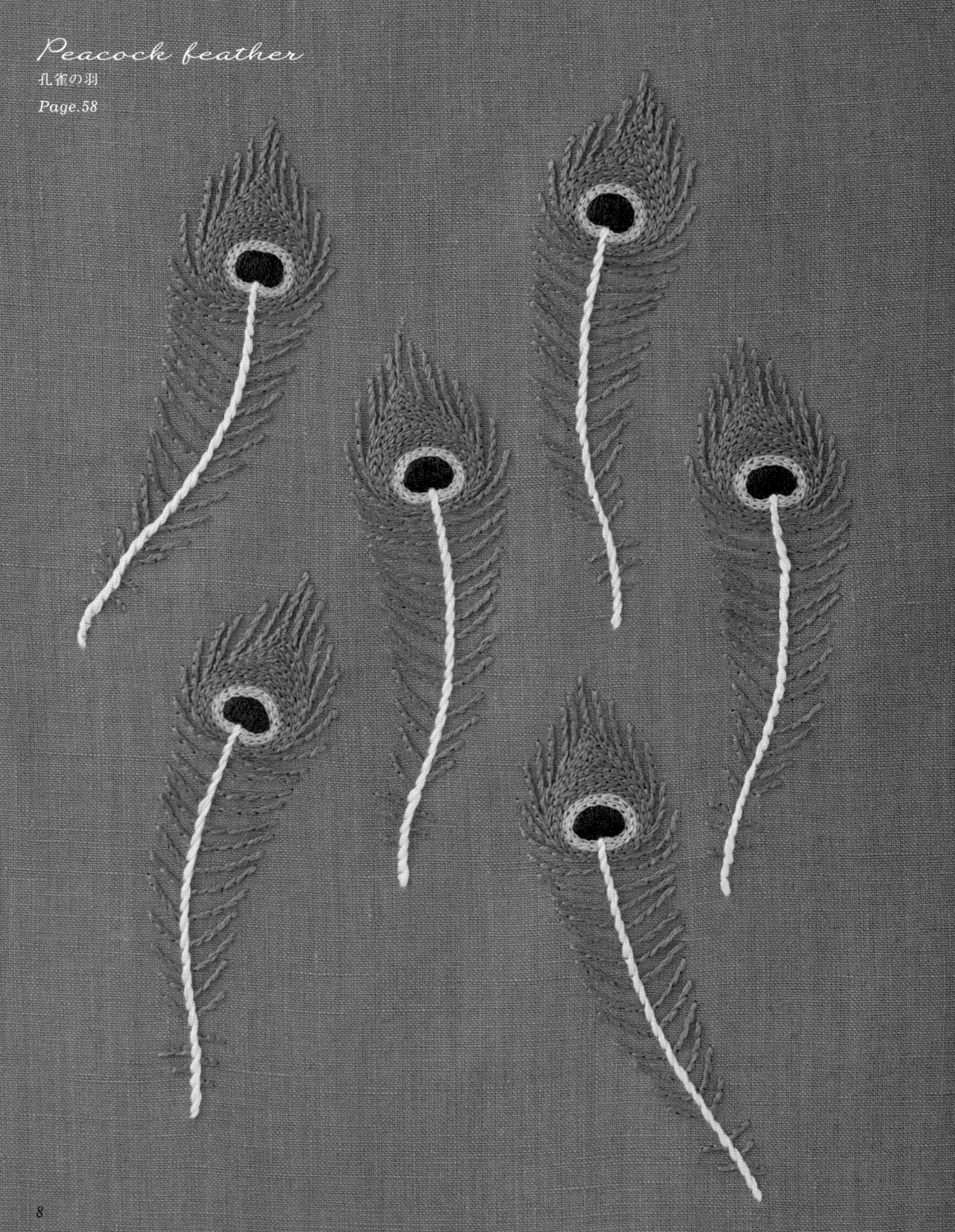

Snow flower
雪の花
Page.59

February

Skier
スキーヤー
Page.60

Valentine heart
バレンタインハート
Page.61

花や鳥で作られたハート。バレンタインをテーマにしたピンクの模様です。猫の姿もありますよ。

Sweet flower スイートフラワー
Page.58

March

Mimosa
ミモザ

Page.62

Little flower
小さな花パターン

Page.62

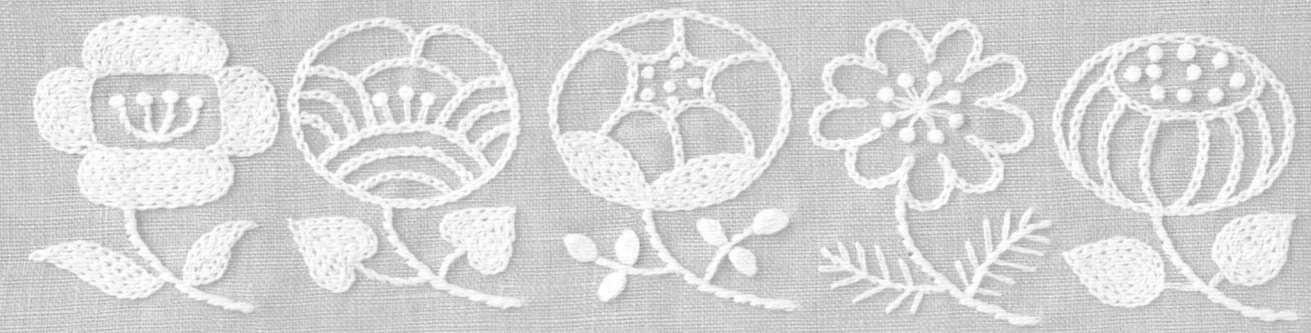

April

Dandelion
ライオンの紋章
Page.64

Spring flower
春の花模様
Page.65

春の風に吹かれるようなイメージで、小花を斜めに配置しました。ポップだけれど淡く優しい色が似合います。

Garden
ガーデン
Page.66

May

Lily of the valley
スズラン
Page.68

大きめのスズランが横に連続する図案。バッグなど大きなアイテムに刺すのがおすすめです。

Insect and wreath 虫とリース
Page.69

Pteridophyte
シダ植物
Page.70

June

Drop flower
しずくの花模様
Page.71

Hydrangea あじさい
Page.71

26

July

Sand shell
砂場と貝殻
Page.73

Swimmer
スイマー
Page.74

帽子のプールをぐるりと泳ぐ人びと。人魚も参加しています。夏の日ざしもちょっぴり涼しく感じそう。

Sea wreath
海のリース
Page.75

August

Succulent
サキュレント
Page.76

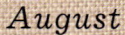

31

Summer flower garden
夏の花園
Page.77

Tropical bird
熱帯の鳥
Page.78

大きなオウムを中心に、熱帯のジャングルをイメージしました。抑えた色味でインテリアにもなじみます。

September

Butterfly
チョウ
Page.79

Vegetable

野菜

Page.80

Leaf
木の葉

Page.81

1色の線画は刺しやすいので、エプロンなどの大きな面に、たくさん散らしてみましょう。

October

Seed
Page.82

種の模様

さまざまな形の種が縦に連続する模様。スカートの裾や布地の端にぐるりと施すととても豪華です。

Seed
ver. 10 colors
種の模様10色
Page.82

Autumn pattern

秋の幾何学模様

Page.83

Halloween pumpkin
ハロウィーンパンプキン
Page.79

November

Deep forest
深い森
Page.84

Pomegranate tree

Page.83

ザクロの木

Autumn tree

秋の木
Page.85

イチジクから連想した、エキゾティックで大胆な構図の図案。秋らしい深い赤1色で刺しましょう。

December

Christmas tree
クリスマスツリー
Page.86

Angel
星空の天使

Page.87

ワンポイントの刺繡をリネンのハンカチに刺しました。季節の小さな贈り物にもぴったりです。

Falling star
流れ星
Page.87

How to make

刺繍を美しく仕上げるために、
本書で使用した基本のステッチやコツを紹介します。
図案、インテリアに映える作品パネルの作り方もこちらです。

Tools 道具

1. **チョークペーパー**
   図案を布地に写すための複写紙。黒など濃色の布地に写す場合は白いチョークペーパーを使います。

2. **トレーシングペーパー**
   図案をなぞるための薄い紙。

3. **セロファン**
   トレーシングペーパーが破れないよう、図案を布地に写すときに使います。

4. **トレーサー**
   図案をなぞって布地に写すときに使用します。ボールペンなどで代用可能。

5. **目打ち**
   刺し直しをする場合にあると便利な道具。

6. **裁ちばさみ**
   切れ味のよい布専用のはさみを用意しましょう。

7. **刺繍枠**
   布をピンと張るための枠。枠の大きさは図案サイズで使い分けますが、直径10cm程度のものがおすすめです。

8. **糸通し**
   針穴に糸を通すのが苦手な人に。

9. **糸切りばさみ**
   先のとがった刃の薄いタイプが使いやすいでしょう。

10. **針＆ピンクッション**
    先のとがったフランス刺繍用の針を用意しましょう。25番刺繍糸の本数によって適した針が異なります（右表）。

50

Materials 材料

25番刺繡糸

最もポピュラーな25番刺繡糸を使用しています。メーカーによって発色や色番号が異なりますが、本書で使ったのはフランスのDMCの糸。鮮やかな発色と艶のある質感が特徴です。刺繡糸は6本の木綿糸をゆるく合わせて1本にしており、1束の長さは8メートルほどあります。

糸の本数によって針の太さを替えましょう

25番刺繡糸	刺繡針
6本どり	3・4号
3・4本どり	5・6号
1・2本どり	7〜10号

＊クロバーの針の目安。布の厚さによっても変わる

布

本書の作品はすべてリネンで仕立てました。平織りのリネンは刺しやすいうえ、洗濯ができ、手ざわりもよいので刺繡を楽しむのにぴったりな素材です。ただし、リネンは洗うと縮む特性があるので、生地を裁つ前に水通しをしておきましょう。形くずれを防ぐのに有効です。

ステッチと刺繡の基本

本書で使用した8種類のステッチと、
きれいに仕上げるための刺繡のコツを紹介します。

Straight stitch ストレート・ステッチ

短い線を描くときのステッチ。
糸の本数によって表情を変えることができます。

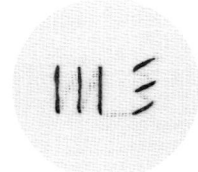

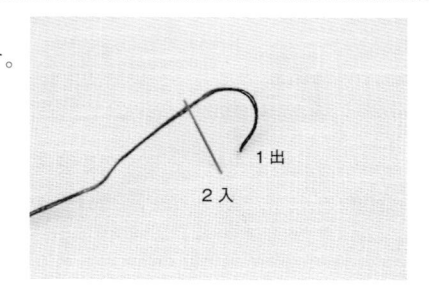

Outline stitch アウトライン・ステッチ

輪郭線を表現します。きれいに
仕上げるコツは54ページをご覧ください。

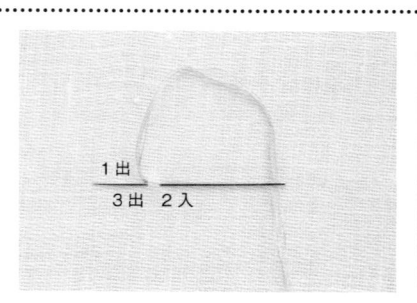

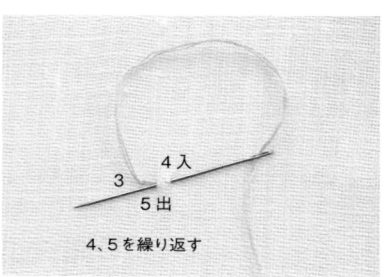

Running stitch ランニング・ステッチ

点線を描くステッチ。面を埋める際は、
交互に半針ずつずらしながら刺し埋めて。

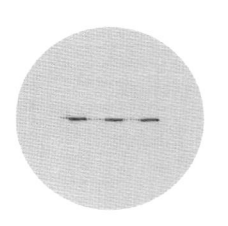

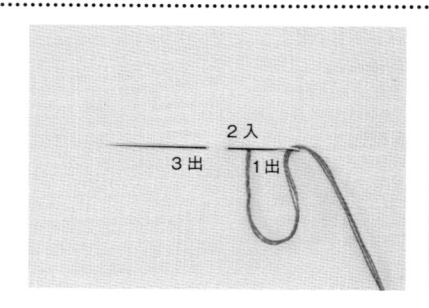

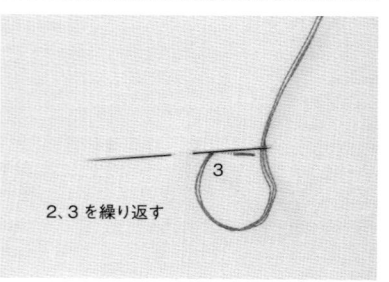

Chain stitch チェーン・ステッチ

鎖のような形で、線や面を表現します。
輪の大きさをそろえるのがコツです。

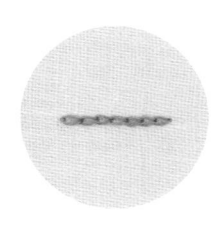

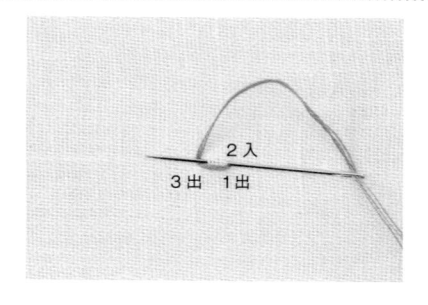

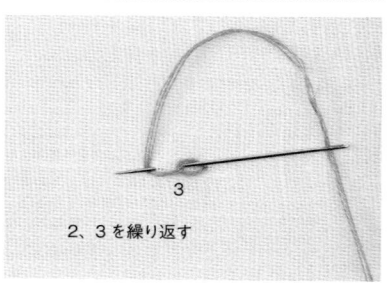

French knot stitch　フレンチナッツ・ステッチ

基本2回巻き。大きさは糸の本数で調整を。
つぶれやすいので、仕上げに刺します。

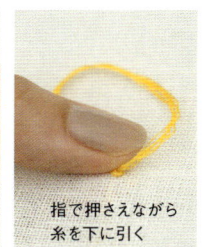

糸を2度かける
2入　1
1出
かけた糸を指で
押さえながら
2に入れるとよい
糸を引く
2
指で押さえながら
糸を下に引く

Satin stitch　サテン・ステッチ

立体感のあるステッチ。糸のよれを取って、
糸並みをそろえて刺すと美しい仕上りに。

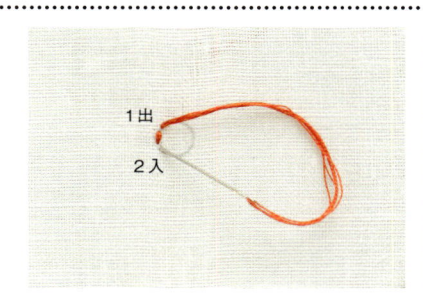

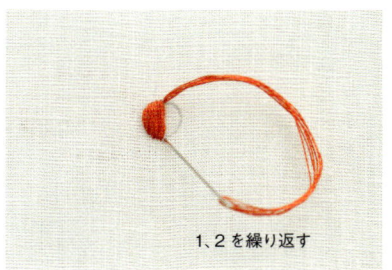

1出
2入
1、2を繰り返す

Lazy daisy stitch　レゼーデージー・ステッチ

花びらや葉などを描くときに。
糸を引きすぎず、丸みを帯びた形に刺します。

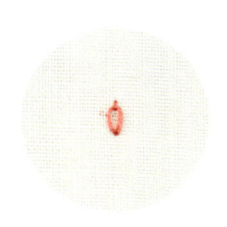

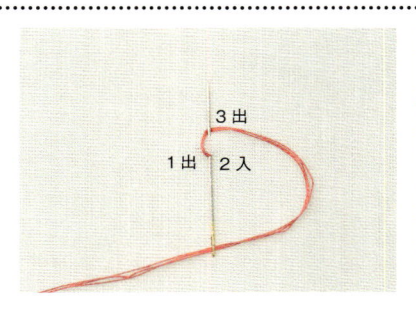

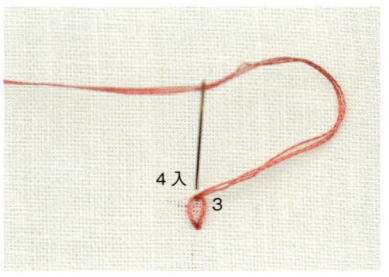

3出
1出　2入
4入
3

Lazy daisy stitch ＋ Straight stitch　レゼーデージー・ステッチ＋ストレート・ステッチ

ストレート・ステッチは1、2回刺します。
長さを変えれば、だ円や丸と表情もいろいろ。

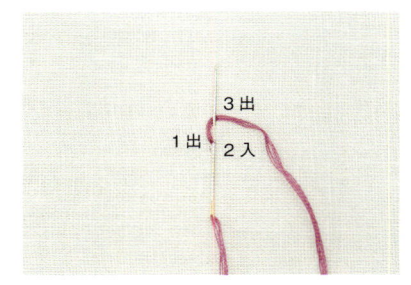

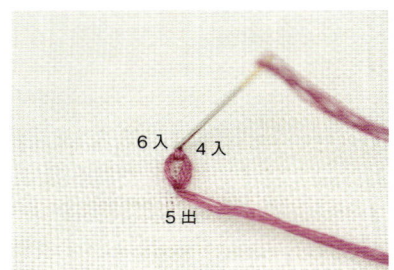

3出
1出　2入
6入　4入
5出

53

{ アウトライン・ステッチを美しく }

アウトライン・ステッチは1針進んで半針戻る、を繰り返します。
カーブを描く際は、針目を細かくするのがコツです。

半針戻る際は手前の針穴から針を出す

OK　（表）　（裏）　　NG　（表）　（裏）

{ チェーン・ステッチの刺し終りを美しく }

チェーン・ステッチで輪郭を描く際、刺し始めと終りをつなげると、
ステッチが途切れず美しい仕上りに。

刺し始めのチェーン・ステッチの下に糸を通す

{ 面をきれいに埋める }

チェーン・ステッチやフレンチナッツ・ステッチなどで
面を埋める場合、すきまができないように注意します。

1 図案の輪郭を刺す。

2 輪郭にそわせて2列目、3列目と外側から中心に向かって刺す。

{ 図案の写し方 }

まず布地に図案を写すところから始めましょう。
図案は布地のたて糸とよこ糸にそって配置します。

1 図案にトレーシングペーパーをのせ、写す。

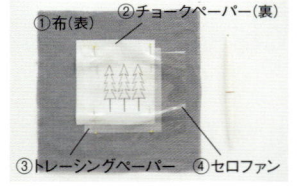

2 写真の順に重ね、まち針でとめてから、トレーサーで図案をなぞる。

①布（表）　②チョークペーパー（裏）　③トレーシングペーパー　④セロファン

{ 糸の扱い方 }

指定の本数を1本ずつ引き出し、そろえて使いましょう。
糸並みがそろって仕上りが格段に美しくなります。

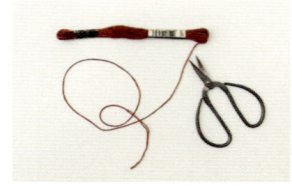

1 60cm程度の長さに引き出して糸を切る。

2 1本ずつ必要本数を引き出してそろえる。6本どりでも同様にするときれい。

{ 刺し始めと刺し終り }

刺し始めと終りの位置は自由です。
ただ、刺すときは必ず玉結び、玉止めをしましょう。

OK　1cm以上縫い目が飛ぶときは、必ず玉止めをする。

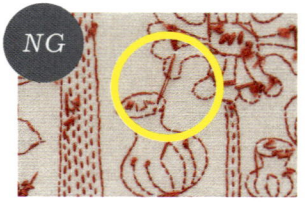

NG　少なくとも図案ごとに玉止めを！引っかけ防止にも有効。

パネルの作り方

作品を美しく飾るには、木製パネルにはるのがおすすめです。

○材料＆道具

刺繍をした布地
＊刺繍した布地のしわはアイロンで伸ばしておく
木製パネル　1枚
＊画材店などで購入可能。サイズは豊富にそろうので、作品に合わせて選びましょう。今回はA5サイズを使用
画びょう
ガンタッカー
裁ちばさみ
マスキングテープ

Point

白などの薄い色の布地は、パネルの木目が透けやすいため、あらかじめ白い紙をのりで軽くはっておきます。

1 パネルの上に布地を広げ、図案の位置を調整したら裏返す。布地は木製パネルより5cm以上空きがあるとはりやすい。

2 パネルに布地を仮どめする。その際、布がたるまないように、上下左右の中央を画びょうでとめる。表の刺繍位置を確認し、必要なら微調整を。

3 パネル長辺の画びょうを外し、たるまないように布地をやや引っ張りながら、ガンタッカーでとめる。
＊ガンタッカーは大きな音がするので注意！

4 手順3の要領で、ガンタッカーを使って、布地をパネル長辺に均一の間隔でとめる。その次に短辺も同様にとめる。
＊パネルの角はとめずに残しておく

5 パネル角の余った布地を、角に合わせて折りたたんで整える。

6 5のたたんだ布の上から、ガンタッカーで角をとめる。残りの角も同様に布地を整えてからとめる。

7 余分な布地を裁ちばさみで切り取る。

8 好みでガンタッカーの針をマスキングテープで隠す。
＊裏の仕上がりが美しく、壁の傷つけ防止にもなる

できた！

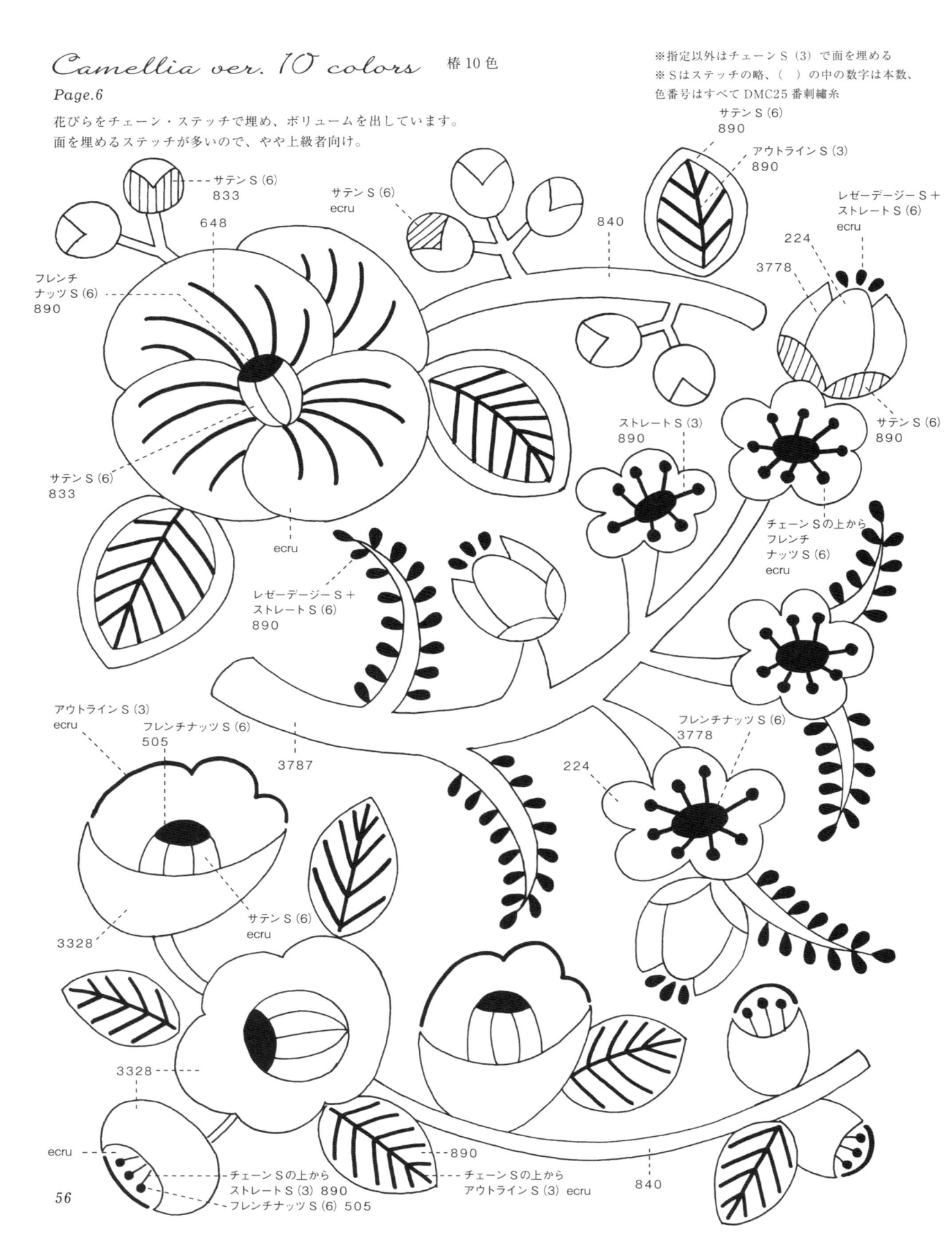

Camellia ver. 10 colors 椿10色

Page.6

花びらをチェーン・ステッチで埋め、ボリュームを出しています。
面を埋めるステッチが多いので、やや上級者向け。

※指定以外はチェーンS（3）で面を埋める
※Sはステッチの略、（ ）の中の数字は本数、色番号はすべてDMC25番刺繡糸

- サテンS（6） 890
- アウトラインS（3） 890
- サテンS（6） 833
- サテンS（6） ecru
- 840
- レゼーデージーS＋ストレートS（6） ecru
- 224
- 3778
- フレンチナッツS（6） 890
- 648
- ストレートS（3） 890
- サテンS（6） 890
- サテンS（6） 833
- ecru
- レゼーデージーS＋ストレートS（6） 890
- チェーンSの上からフレンチナッツS（6） ecru
- アウトラインS（3） ecru
- フレンチナッツS（6） 505
- 3787
- フレンチナッツS（6） 3778
- 224
- 3328
- サテンS（6） ecru
- 3328
- ecru
- チェーンSの上からストレートS（3） 890
- フレンチナッツS（6） 505
- チェーンSの上からアウトラインS（3） ecru
- 890
- 840

Camellia 椿

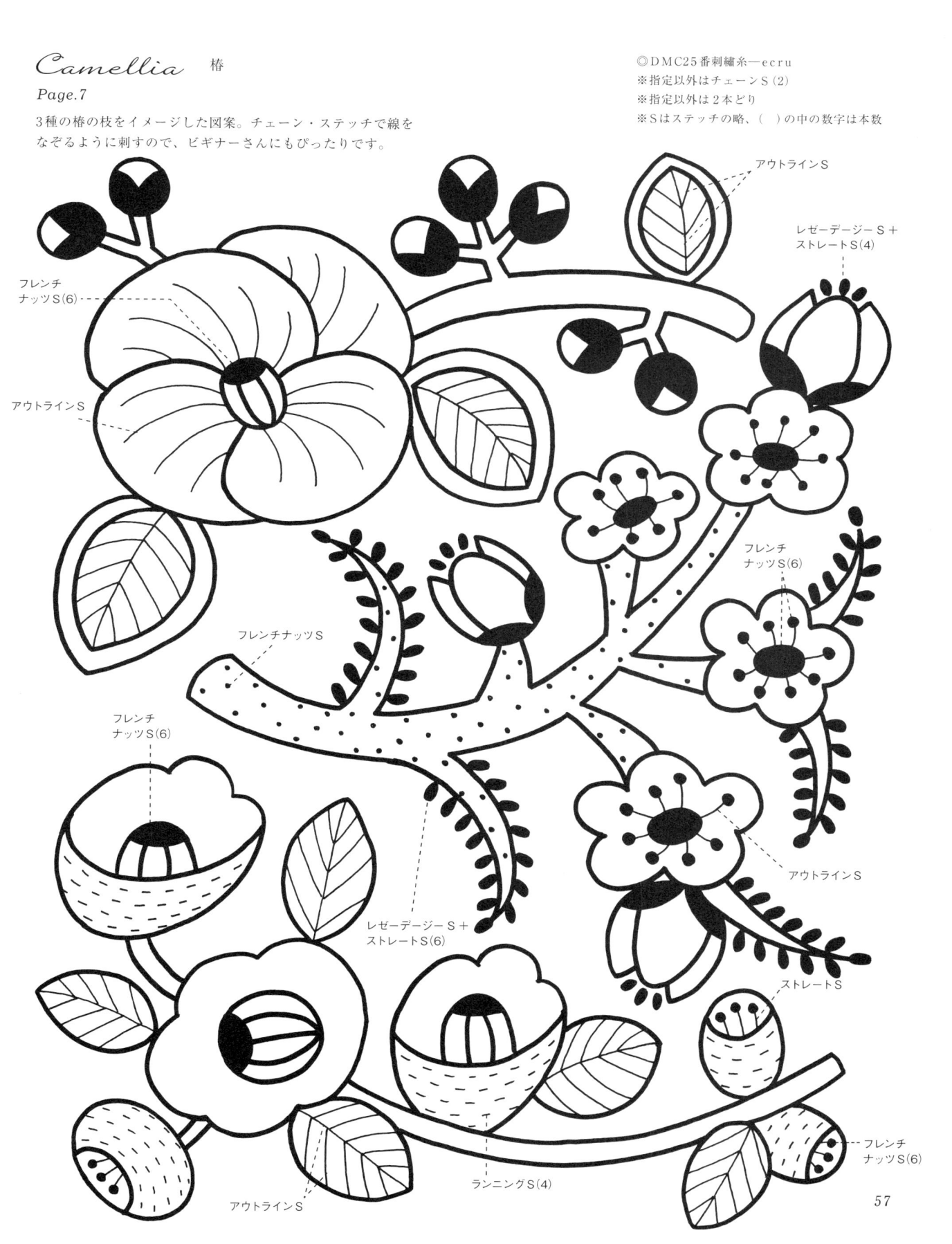

Page.7

3種の椿の枝をイメージした図案。チェーン・ステッチで線をなぞるように刺すので、ビギナーさんにもぴったりです。

◎DMC25番刺繍糸—ecru
※指定以外はチェーンS(2)
※指定以外は2本どり
※Sはステッチの略、( )の中の数字は本数

- アウトラインS
- レゼーデージーS＋ストレートS(4)
- フレンチナッツS(6)
- アウトラインS
- フレンチナッツS(6)
- フレンチナッツS
- フレンチナッツS(6)
- アウトラインS
- レゼーデージーS＋ストレートS(6)
- ストレートS
- アウトラインS
- ランニングS(4)
- フレンチナッツS(6)

57

Peacock feather
孔雀の羽

Page.8

新しい年にはいちばん美しい鳥の羽を飾りたい。
大人っぽいモチーフも、シンプルにするとかわいらしくなります。

※指定以外は2本どり
※Sはステッチの略、（ ）の中の数字は本数、
色番号はすべてDMC25番刺繍糸

アウトラインS
561

チェーンS
932

チェーンS
561

サテンS(6)
823

＊中心のサテンS、チェーンS、
アウトラインSの順に刺す。羽軸
のアウトラインSは最後に刺すと
美しい仕上りに

アウトラインS(4)
543

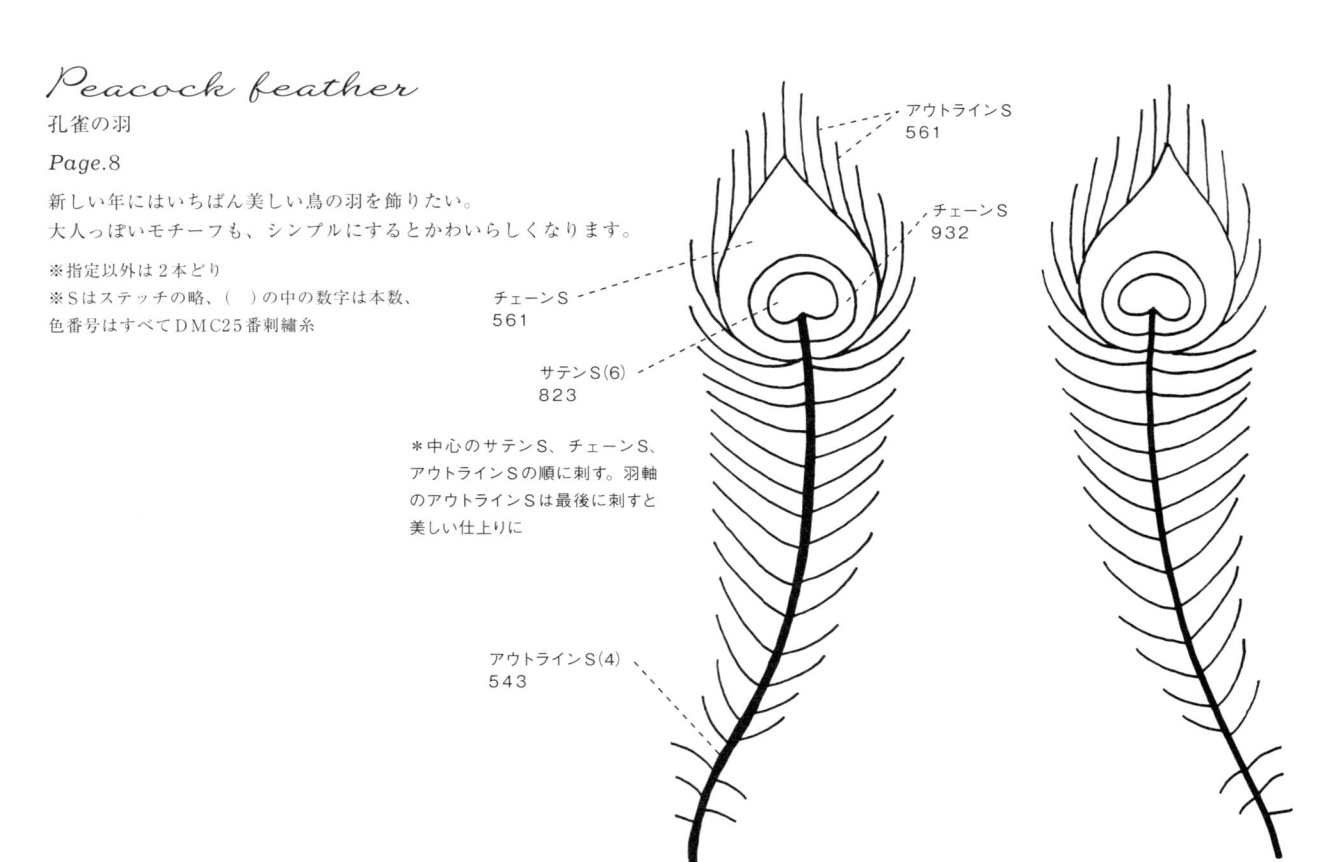

Sweet flower
スイートフラワー

Page.12

長かった冬が終わり、
花が咲き始めるころを表現しました。
清楚な雰囲気はインテリアアイテムにぴったり。

※指定以外は6本どり
※Sはステッチの略、（ ）の中の数字は本数、
色番号はすべてDMC25番刺繍糸

レゼーデージーS＋ストレートS
ecru

チェーンS(3)
778

フレンチナッツS
ecru

アウトラインS(2)
3862

レゼーデージーS＋
ストレートS
647

アウトラインS(2)
3862

アウトラインS
3862

チェーンS(3)
647

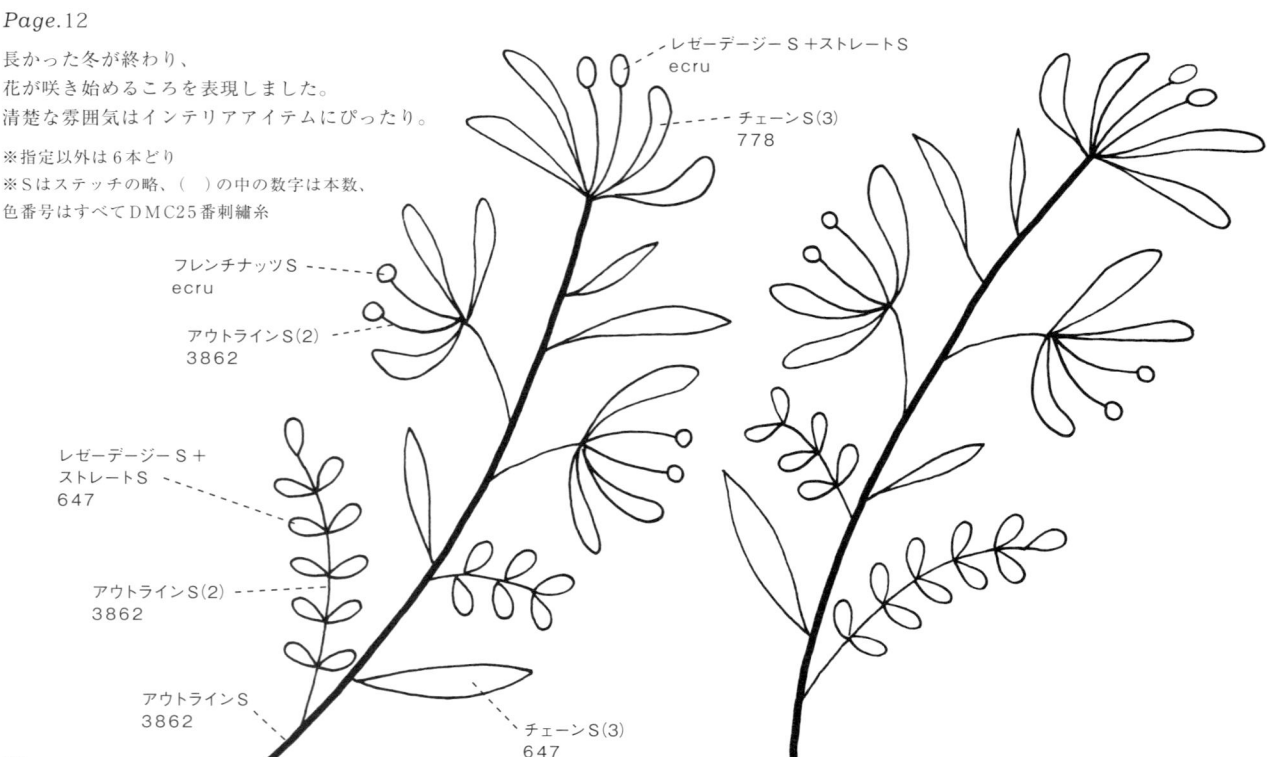

Snow flower　雪の花

Page.9

雪の結晶4種類。花を思わせる模様にして、白とグレーの2色で刺しました。
ワンポイントでもたくさん刺してもすてき。

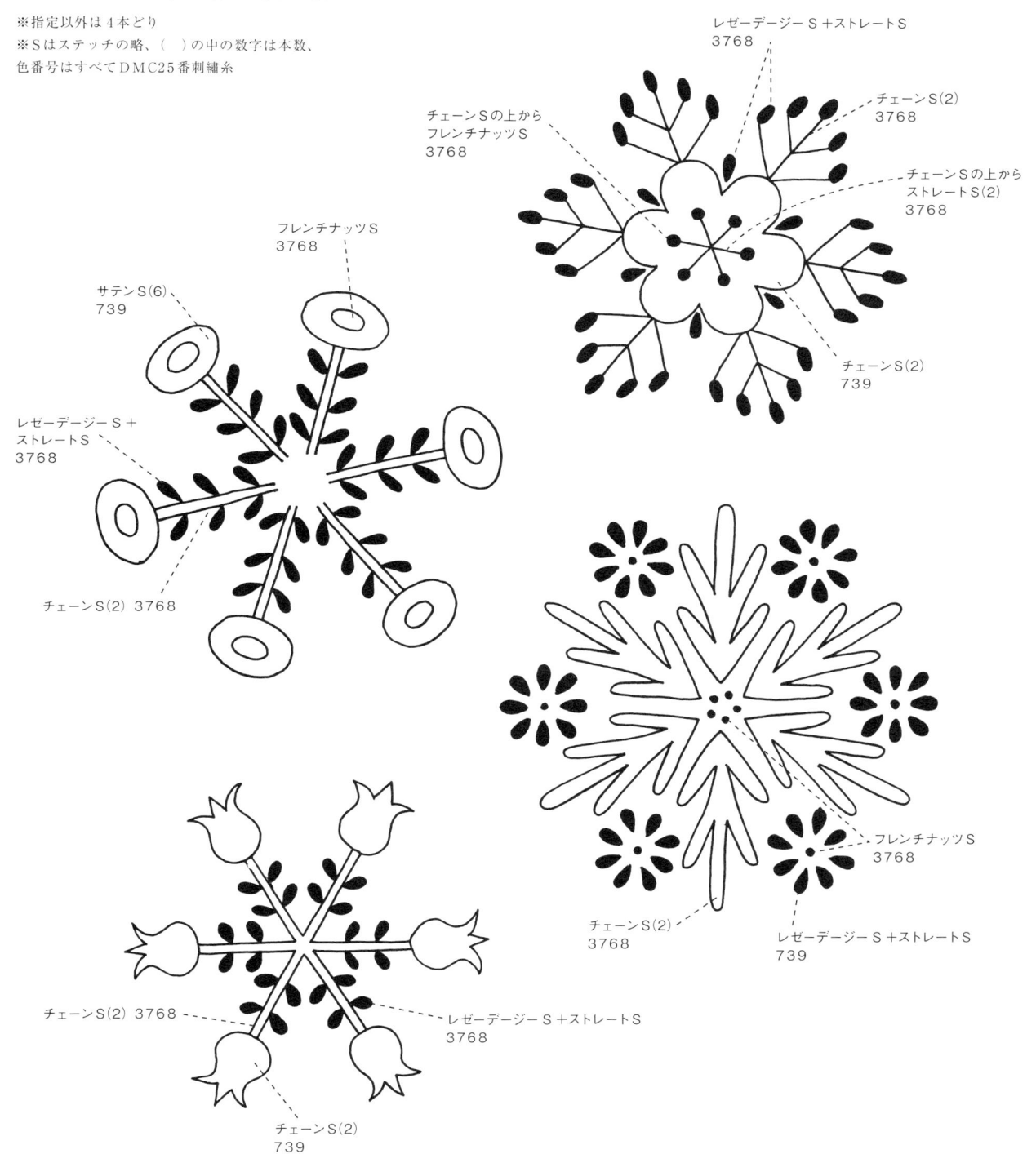

※指定以外は4本どり
※Sはステッチの略、（ ）の中の数字は本数、
　色番号はすべてＤＭＣ25番刺繍糸

レゼーデージーＳ＋ストレートＳ
3768

チェーンＳの上から
フレンチナッツＳ
3768

チェーンＳ(2)
3768

チェーンＳの上から
ストレートＳ(2)
3768

フレンチナッツＳ
3768

サテンＳ(6)
739

レゼーデージーＳ＋
ストレートＳ
3768

チェーンＳ(2) 3768

チェーンＳ(2)
739

フレンチナッツＳ
3768

レゼーデージーＳ＋ストレートＳ
739

チェーンＳ(2) 3768

レゼーデージーＳ＋ストレートＳ
3768

チェーンＳ(2)
739

Skier スキーヤー

Page.10

華やかなウェアに身を包んで、雪山を滑るスキーヤー。シロクマもいたりして。
シロクマ、人の頭と腕、手袋とブーツもサテン・ステッチで。
スキーのストックは最後に刺しましょう。シンプルなニットに似合う図案です。

※指定以外はサテンS(6)
※Sはステッチの略、( )の中の数字は本数、
　色番号はすべてDMC25番刺繍糸

フレンチナッツS(6)
B5200

チェーンS(2)
B5200

チェーンS(2)
351

チェーンS(2)
351
562

チェーンS(2)
932

フレンチナッツS(6)
B5200

ストレートS(2)
351

562

834

945

フレンチ
ナッツS(2)
310

チェーンS(2)
834

ストレートS(2)
829

ストレートS(2)
310

アウトラインS(2)
351

829

ストレートS(2)
932

アウトラインS(2)
829

B5200

311

アウトラインS(2)
932

チェーンS(2)
3687

チェーンS(2)
562

チェーンS(2)
311

3687

562

3687

932

945

ストレートS(2)
3687

945

ストレートS(2)
562

B5200

アウトラインS(2)
3687

932

アウトラインS(2)
562

チェーンS(2)
834

834

チェーンS(2)
B5200

311

945

ストレートS(2)
311

351

アウトラインS(2)
311

アウトラインS(2)
B5200

ストレートS(6)
B5200

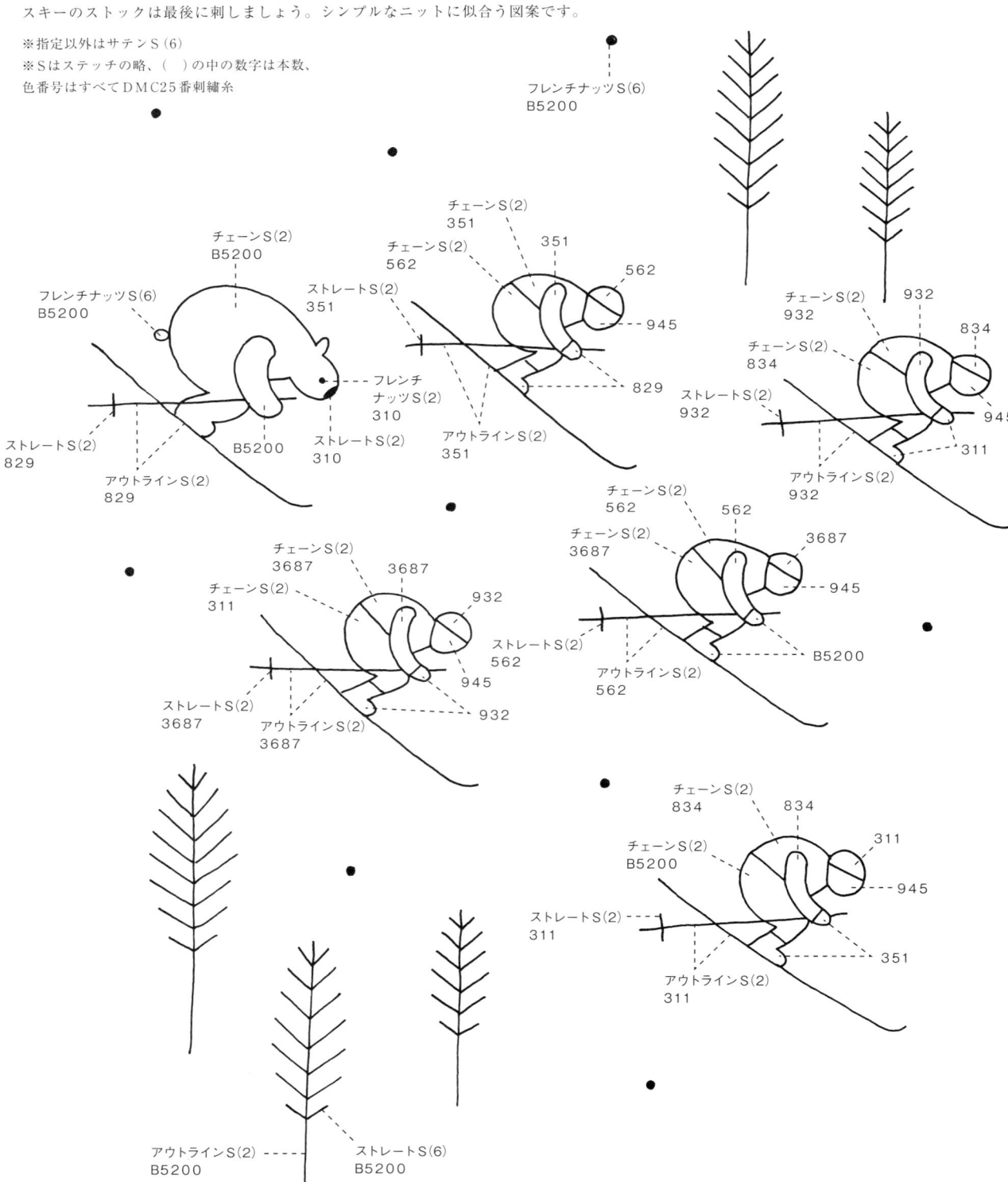

60

Valentine heart　バレンタインハート

Page.11

主にチェーン・ステッチで面を埋めています。
好みの部分を抜き出しても。
また、結婚などの贈り物にもぴったりの図案です。

◎DMC25番刺繍糸ー3722
※指定以外はチェーンS（2）
※Sはステッチの略、（　）の中の数字は本数

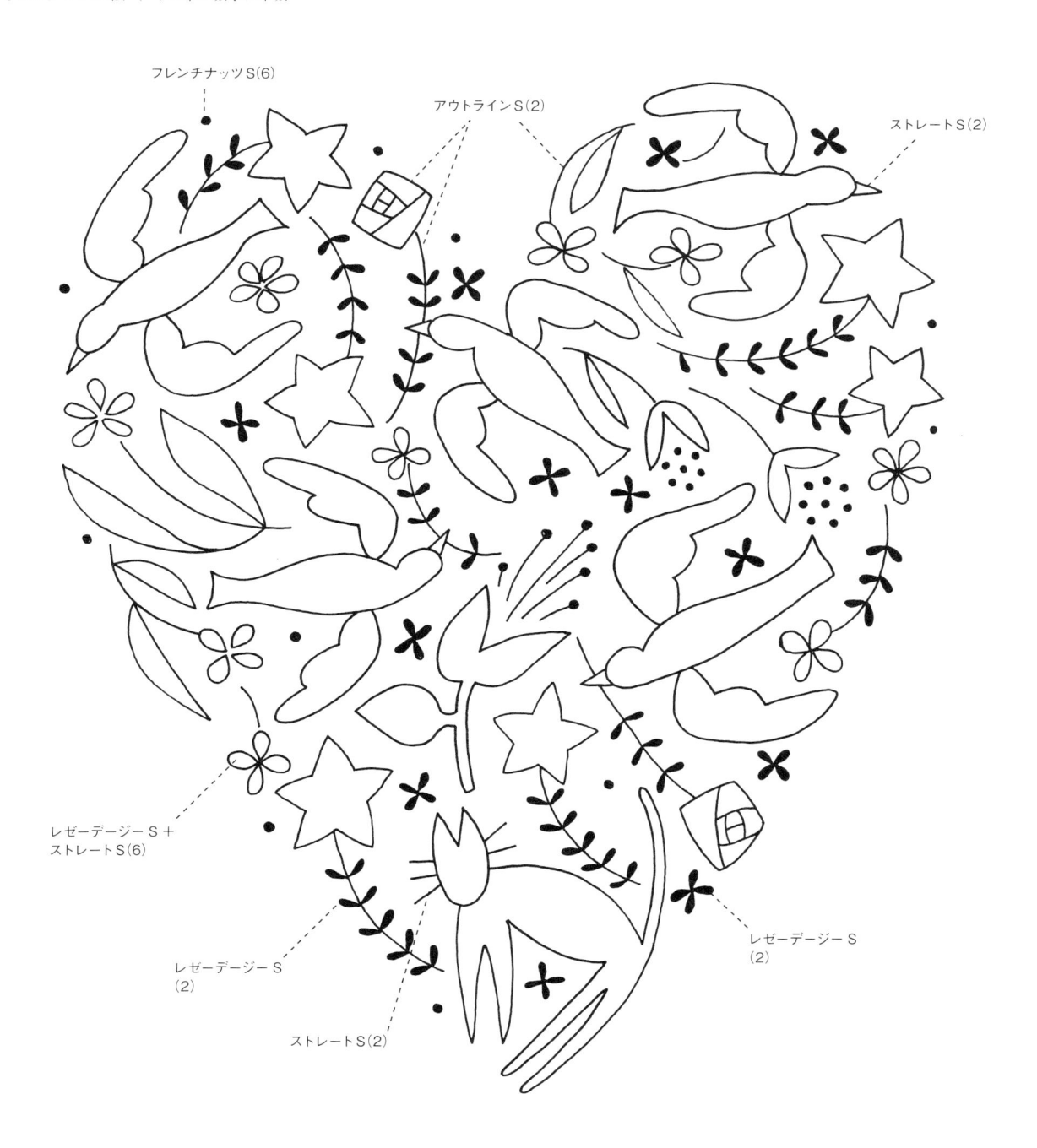

フレンチナッツS（6）
アウトラインS（2）
ストレートS（2）
レゼーデージー S ＋
ストレートS（6）
レゼーデージー S
（2）
ストレートS（2）
レゼーデージー S
（2）

61

Mimosa　ミモザ

Page.13

花が引き立つよう、茎と葉は似た色でまとめましょう。
葉のステッチは糸並みをそろえると、きれいに仕上がります。

※Sはステッチの略、（ ）の中の数字は本数、
色番号はすべてDMC25番刺繍糸

フレンチナッツS(6)
833

レゼーデージーS＋
ストレートS(6)
501

ストレートS(3)
500

アウトラインS(3)
500

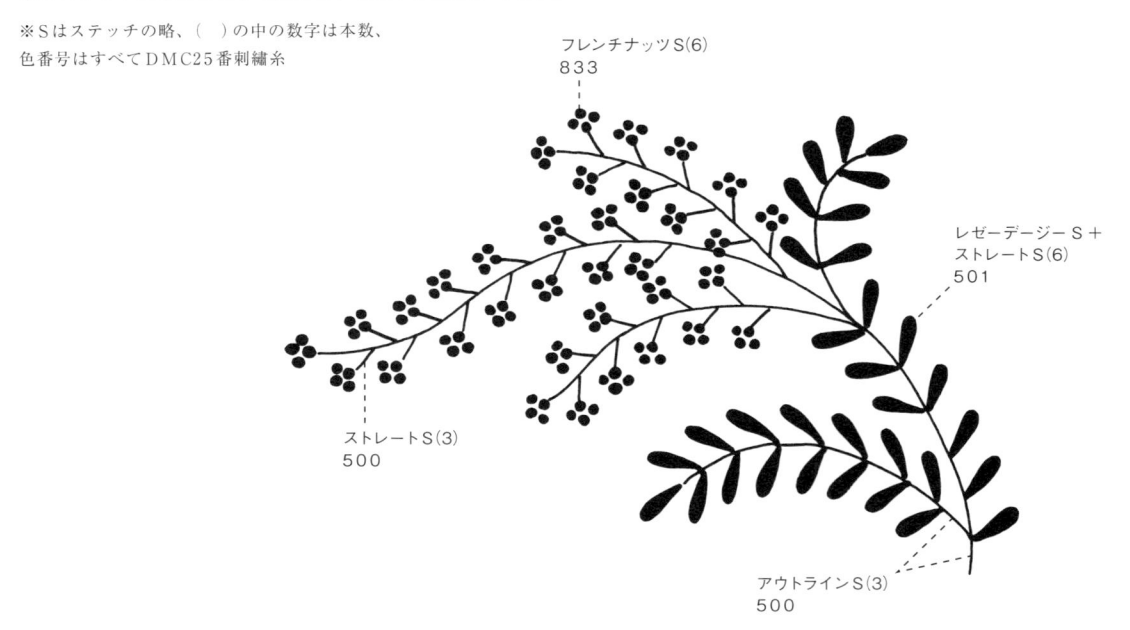

Little flower　小さな花パターン

Page.14

5種類のポップで小さい花模様は、1色なのでビギナーさんにおすすめです。
洋服の裾や、クロスの端などに連続で刺してもすてき。
小さいカーブは細かめのステッチで。

◎DMC25番刺繍糸—B5200
※指定以外はチェーンS(2)
※Sはステッチの略、（ ）の中の数字は本数

フレンチナッツS(4)　ストレートS(2)　フレンチナッツS(2)　フレンチナッツS(4)　ストレートS(2)　フレンチナッツS(4)

アウトラインS(2)

アウトラインS(4)　アウトラインS(2)　レゼーデージーS＋ストレートS(6)　アウトラインS(2)　ストレートS(2)

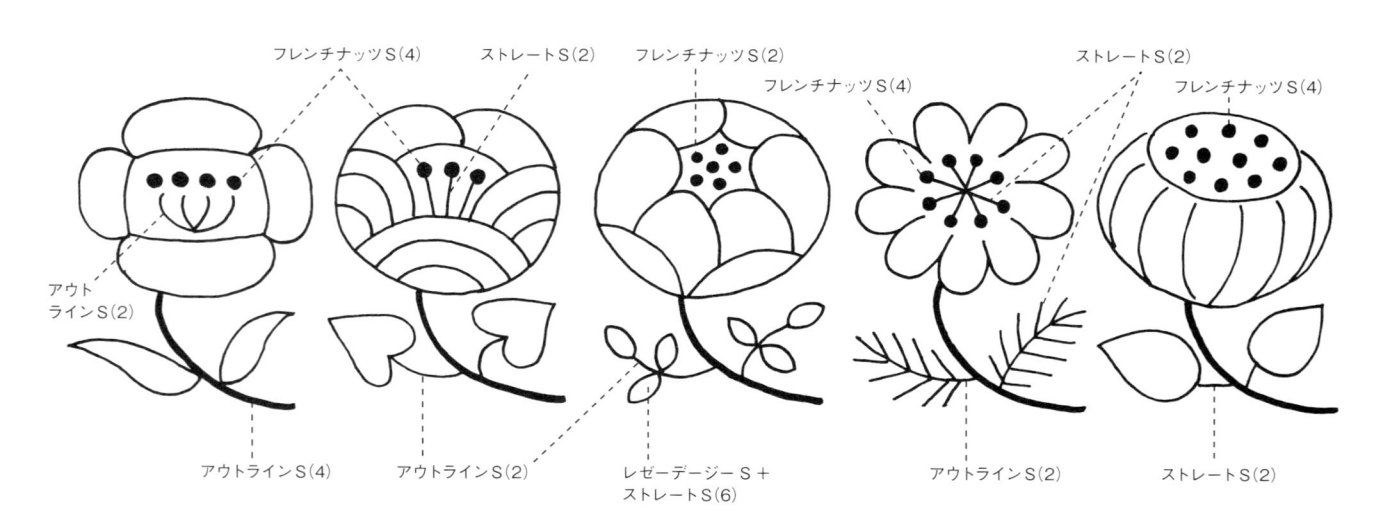

Narcissus garden　水仙の庭

Page.15

水仙をメインに、葉や実などをランダムに散らして。
水仙はグレーの花びらの芯から始め、
黄色のフレンチナッツ・ステッチは最後に刺します。

※指定以外はチェーンS(3)
※指定以外は3本どり
※Sはステッチの略、( )の中の数字は本数、
色番号はすべてDMC25番刺繍糸

833
320
フレンチナッツS
3866

アウトラインS
3866
320
アウトラインS
320

レゼーデージーS＋
ストレートS(6)
320
アウトラインS
320

3866
646
823
ストレートS
823

フレンチナッツS(6)
823
ストレートS
823
フレンチ
ナッツS(6)
833
823

320
3866
833
646

フレンチ
ナッツS(6)
833
3834
320
アウトラインS
3866
アウトラインS
320

ストレートS
823
レゼーデージーS＋
ストレートS(6)
3866
アウトラインS
823
フレンチナッツS
833

63

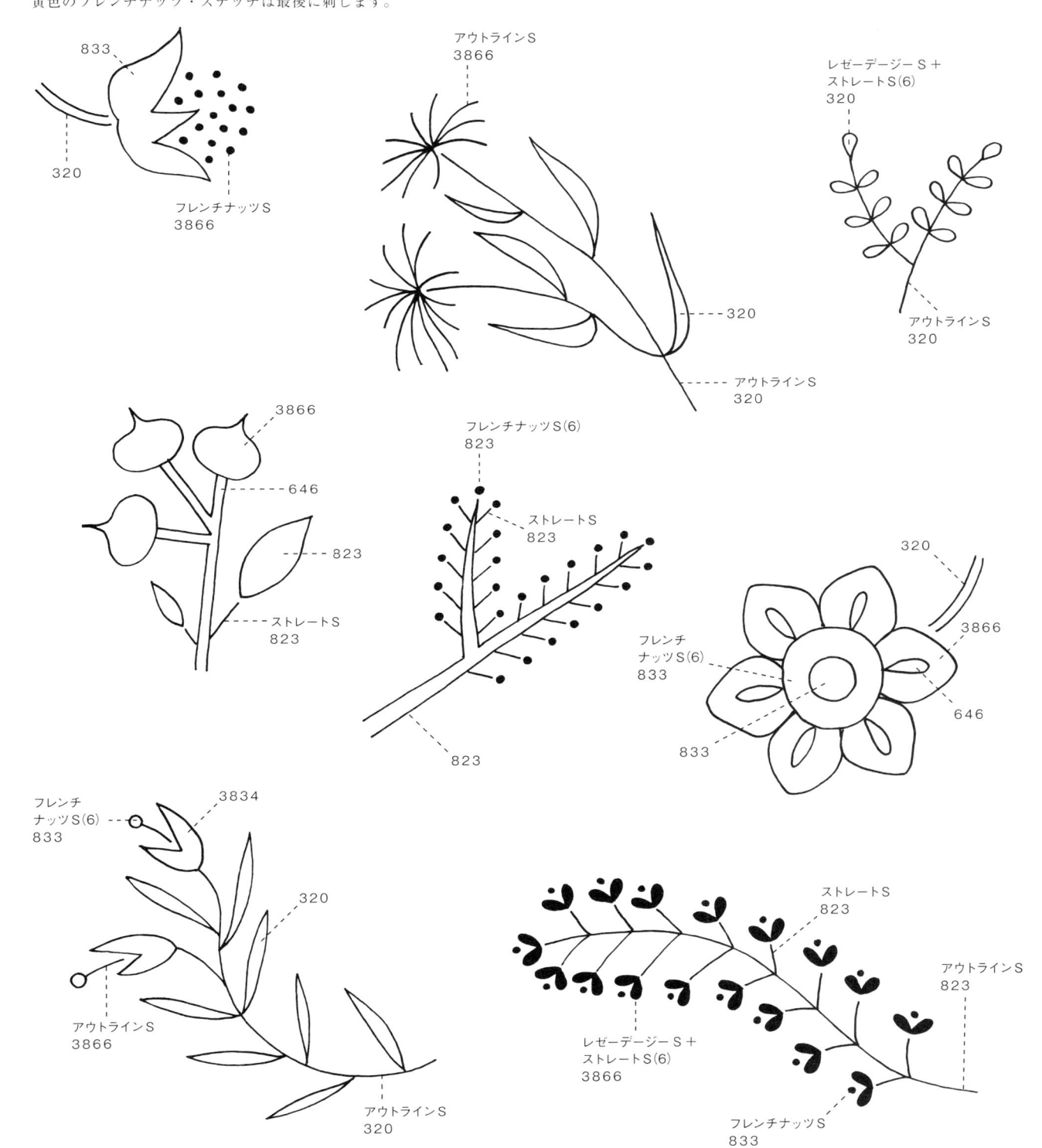

Dandelion ライオンの紋章

Page.16

タンポポとライオンの紋章。黄色系の色ですっきりとまとめました。
左側のライオンは図案を反転してください。

※指定以外はチェーンS（3）
※Sはステッチの略、（　）の中の数字は本数、
色番号はすべてDMC25番刺繍糸

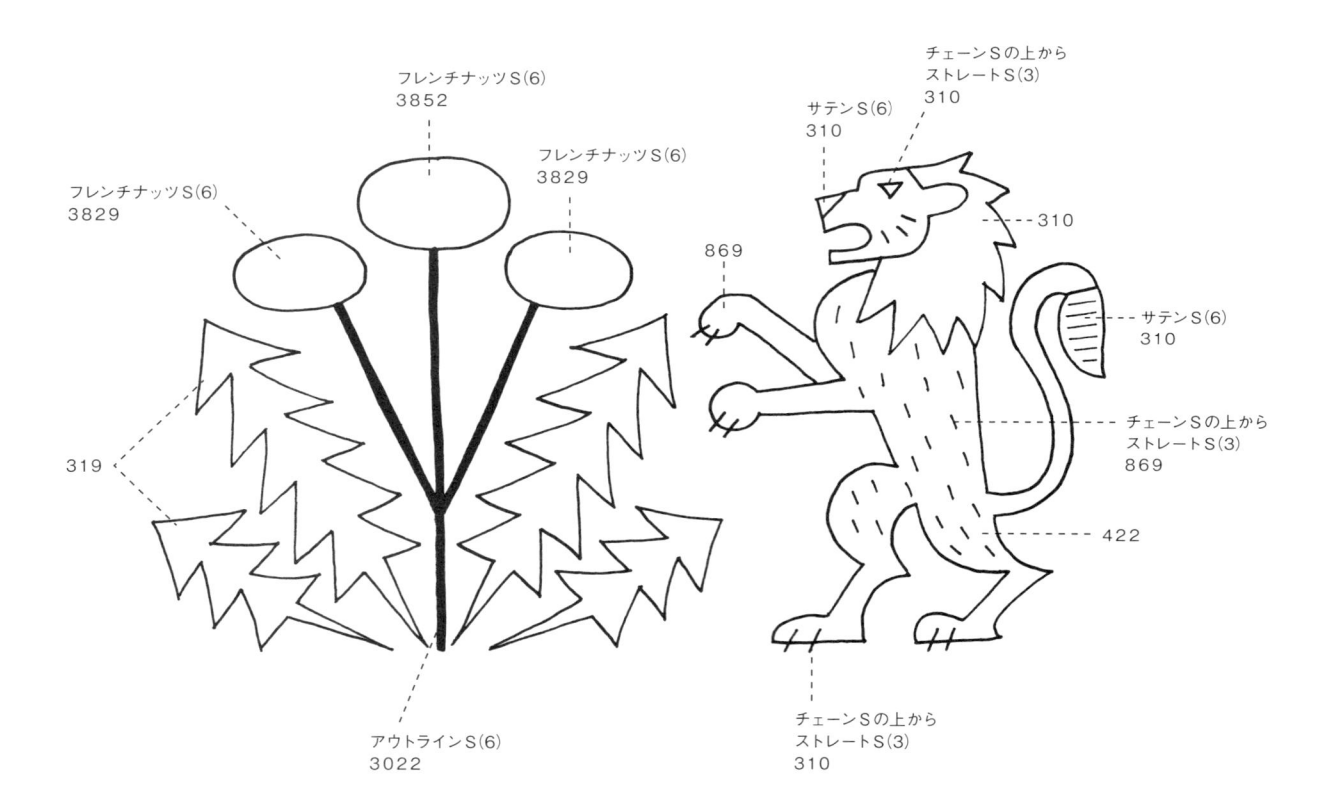

フレンチナッツS(6)
3852

フレンチナッツS(6)
3829

フレンチナッツS(6)
3829

319

アウトラインS(6)
3022

サテンS(6)
310

チェーンSの上から
ストレートS(3)
310

310

869

サテンS(6)
310

チェーンSの上から
ストレートS(3)
869

422

チェーンSの上から
ストレートS(3)
310

Spring flower

春の花模様

Page.17

葉と茎はすべて同じグリーンにして、それぞれの花色を引き立てています。
好みの1輪から刺してみましょう。

◎葉と茎のDMC25番刺繍糸—561
※茎はすべてアウトラインS(2)
※指定以外はチェーンS(2)
※Sはステッチの略、( )の中の数字は本数、
色番号はすべてDMC25番刺繍糸

415

351 ---- チェーンSの上から
ストレートS(2) ecru

---- ecru
---- フレンチ
ナッツS(4)
834

レゼーデージーS＋
ストレートS(6)

レゼーデージーS＋
ストレートS(4)

フレンチ
ナッツS(6)
741

834

レゼーデージーS＋
ストレートS(4)

レゼーデージーS＋
ストレートS(6)
3834

ストレートS(2)
561

ストレートS(6)
741

フレンチ
ナッツS(4)
ecru

レゼーデージーS＋
ストレートS(4)

---- ecru

チェーンSの上から
フレンチナッツS(4)
351

チェーンSの上から
ストレートS(2)
351

ecru ----

ストレートS(2)
ecru

---- 415

フレンチ
ナッツS(6)
834

フレンチ
ナッツS(4)
415

741

チェーンSの上から
ストレートS(6)
3834

レゼーデージーS＋
ストレートS(6)
834

フレンチ
ナッツS(6)
834

ecru

351

レゼーデージーS＋
ストレートS(4)

レゼーデージーS＋
ストレートS(4)

Garden ガーデン

Page.18

暖かな季節。すくすくと伸びてくる草花をイメージして、春らしいさわやかな色合いでまとめました。

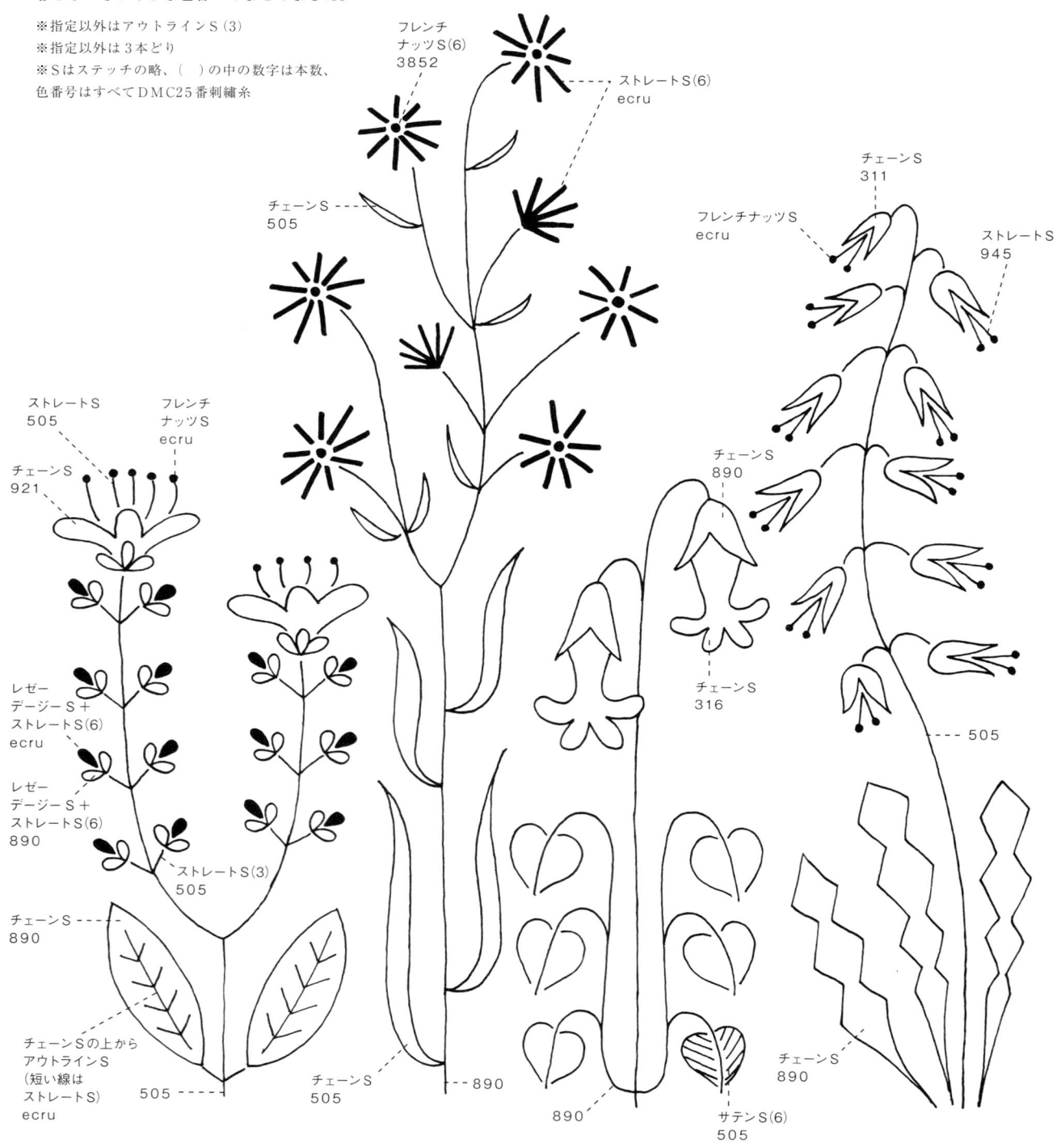

※指定以外はアウトラインS(3)
※指定以外は3本どり
※Sはステッチの略、( )の中の数字は本数、色番号はすべてDMC25番刺繍糸

- フレンチナッツS(6) 3852
- ストレートS(6) ecru
- チェーンS 505
- チェーンS 311
- フレンチナッツS ecru
- ストレートS 945
- ストレートS 505
- フレンチナッツS ecru
- チェーンS 921
- チェーンS 890
- レゼーデージーS＋ストレートS(6) ecru
- レゼーデージーS＋ストレートS(6) 890
- チェーンS 316
- ストレートS(3) 505
- 505
- チェーンS 890
- チェーンS 890
- チェーンSの上からアウトラインS（短い線はストレートS）ecru
- 505
- チェーンS 505
- 890
- 890
- サテンS(6) 505
- チェーンS 890

サテンS(6)
3852

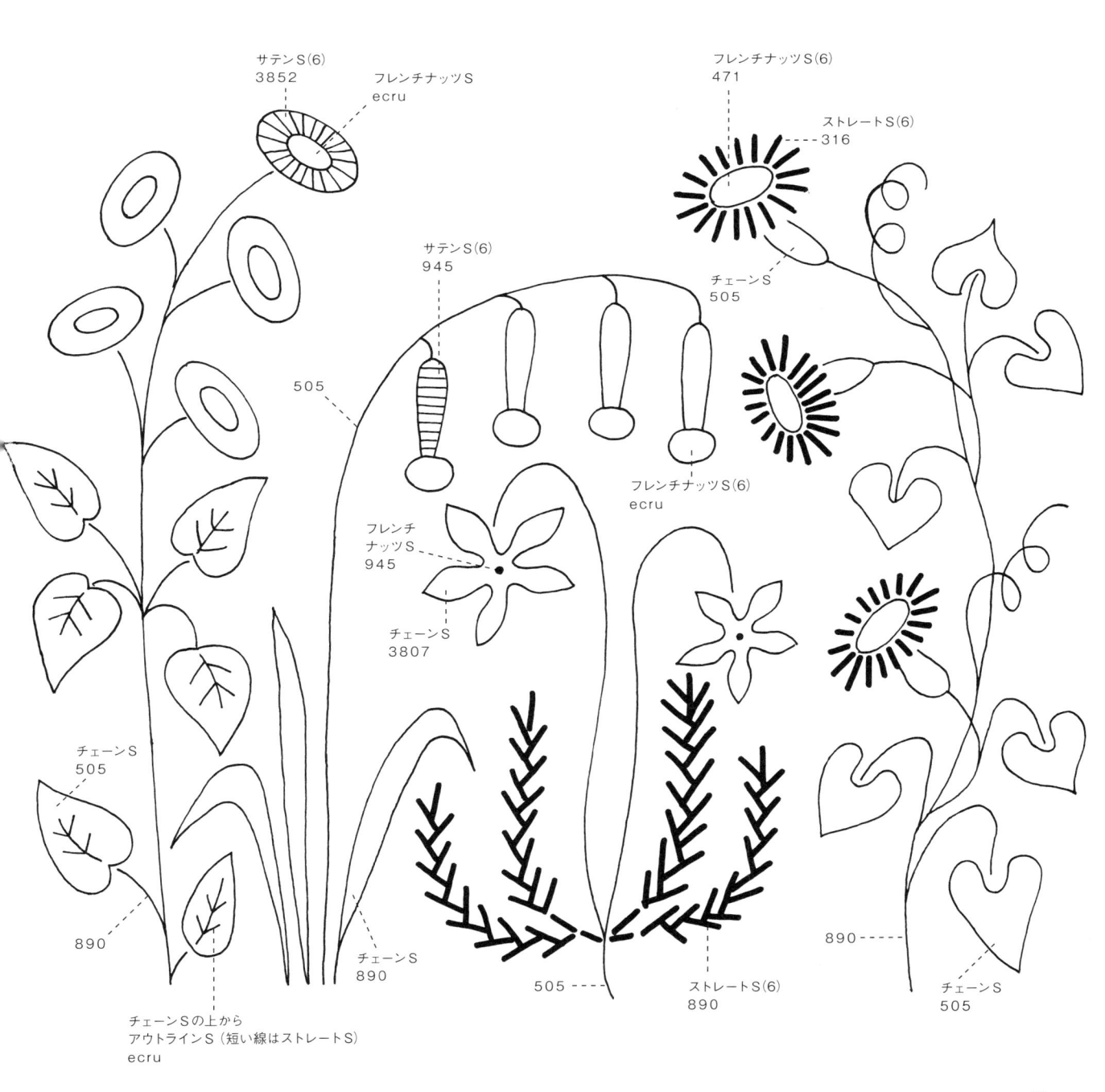

フレンチナッツS
ecru

フレンチナッツS(6)
471

ストレートS(6)
316

サテンS(6)
945

505

チェーンS
505

フレンチ
ナッツS
945

フレンチナッツS(6)
ecru

チェーンS
3807

チェーンS
505

890

505

チェーンS
890

505

ストレートS(6)
890

890

チェーンS
505

チェーンSの上から
アウトラインS（短い線はストレートS）
ecru

Lily of the valley　スズラン

Page.20

葉の部分は塗りつぶさずに、細かいレゼーデージー・ステッチと
アウトライン・ステッチで葉脈を表現しました。
21ページのバッグの刺繍も、同じ色の糸を使用しています。

※Sはステッチの略、（　）の中の数字は本数、
　色番号はすべてＤＭＣ25番刺繍糸

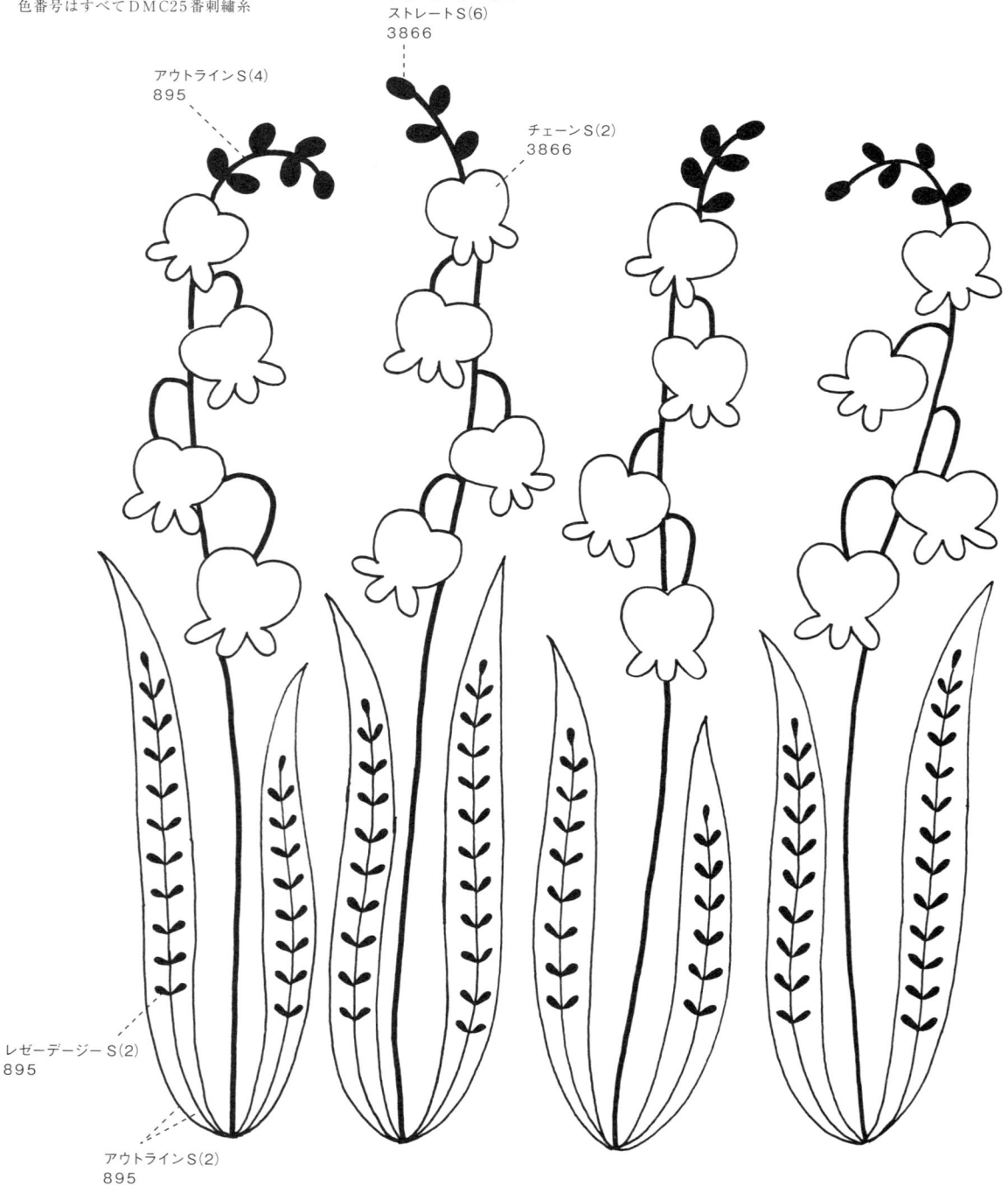

アウトラインS(4)
895

レゼーデージーS＋
ストレートS(6)
3866

チェーンS(2)
3866

レゼーデージーS(2)
895

アウトラインS(2)
895

Insect and wreath 虫とリース

Page.22

虫と草花と蔦の模様。優しい色合いで表現しました。
フレンチナッツ・ステッチはつぶれやすいので最後に刺しましょう。

※指定以外はアウトラインS(2)。ただし、短い線はストレートS(2)で刺す
※Sはステッチの略、( )の中の数字は本数、
色番号はすべてDMC25番刺繍糸

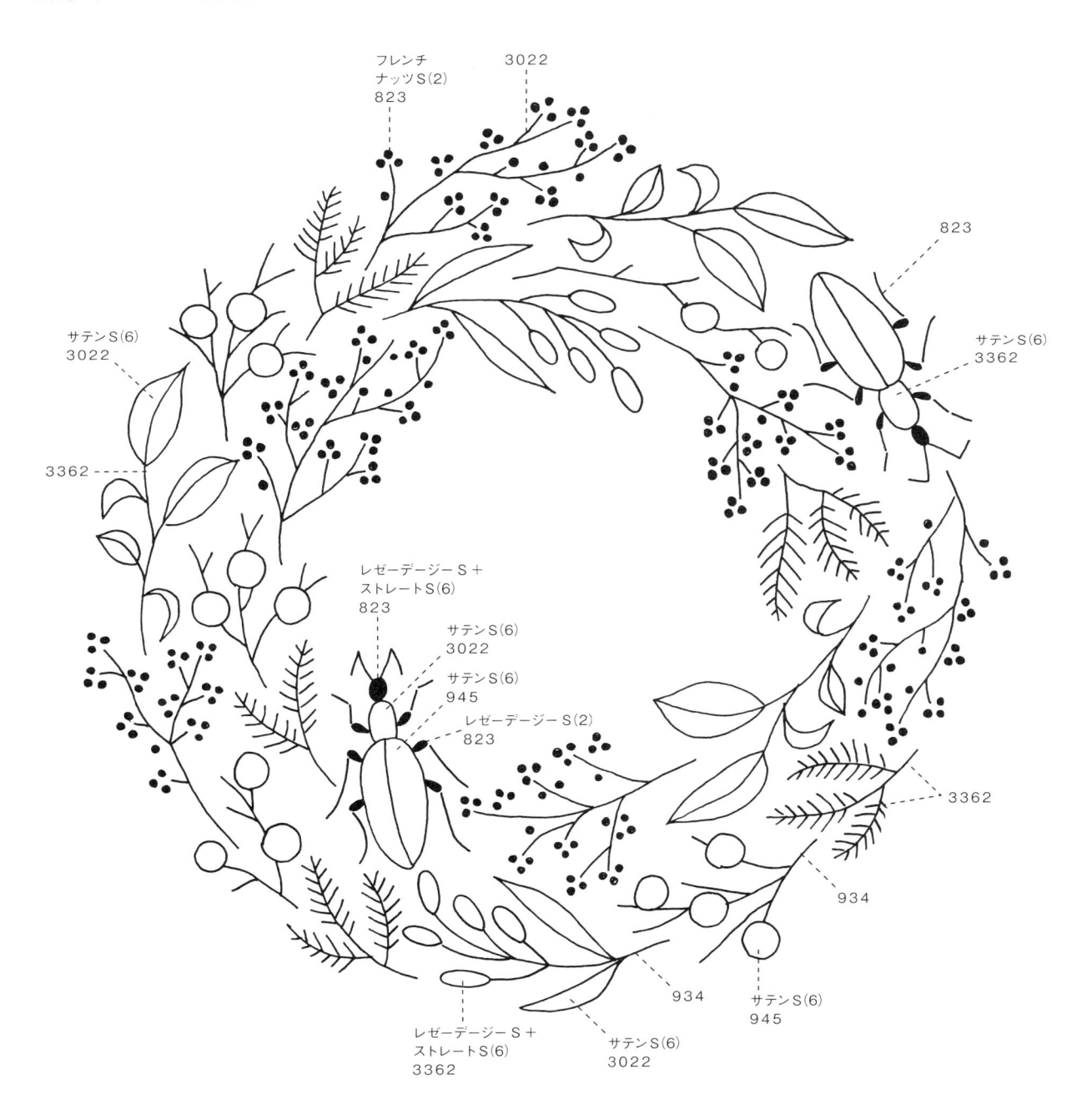

フレンチナッツS(2) 823
3022
823
サテンS(6) 3022
サテンS(6) 3362
3362
レゼーデージーS＋ストレートS(6) 823
サテンS(6) 3022
サテンS(6) 945
レゼーデージーS(2) 823
3362
934
サテンS(6) 945
レゼーデージーS＋ストレートS(6) 3362
サテンS(6) 3022
934

69

Pteridophyte

シダ植物

Page.23

数種類のシダ植物。落ち着いた色合いと細めの線で、大人っぽく仕上げます。
茎のラインから刺し始めるのがコツ。

※指定以外はアウトラインS(2)。
ただし、短い線はストレートS(2)で刺す
※Sはステッチの略、( )の中の数字は本数、
色番号はすべてDMC25番刺繍糸

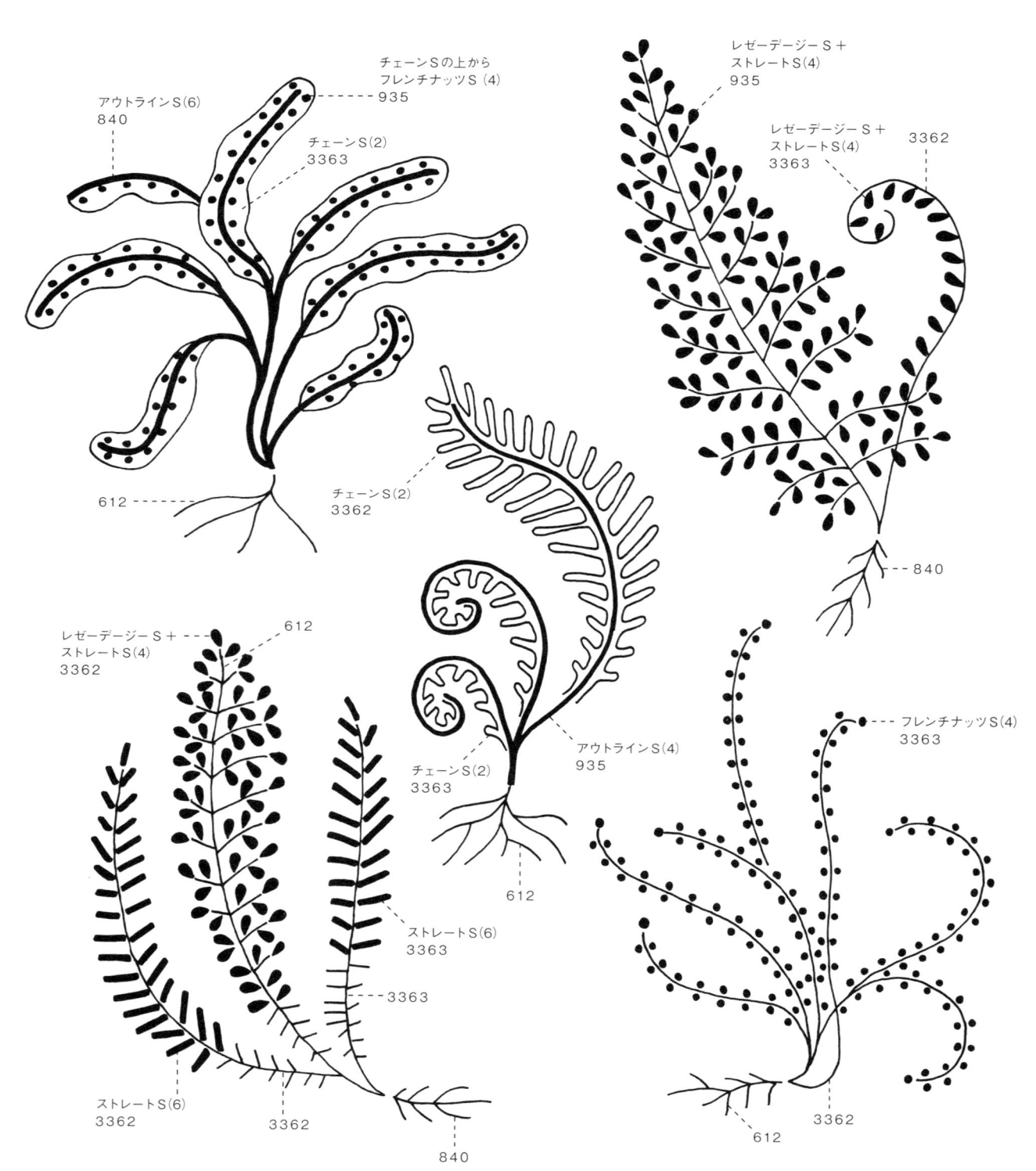

アウトラインS(6)
840

チェーンSの上から
フレンチナッツS(4)
935

チェーンS(2)
3363

612

レゼーデージーS＋
ストレートS(4)
935

レゼーデージーS＋
ストレートS(4)
3363

3362

チェーンS(2)
3362

840

レゼーデージーS＋
ストレートS(4)
3362

612

アウトラインS(4)
935

チェーンS(2)
3363

612

フレンチナッツS(4)
3363

ストレートS(6)
3363

3362

ストレートS(6)
3362

840

3362

612

Drop flower　　しずくの花模様
Page.24

梅雨の季節にぴったりの、しずくをイメージした花の模様。
1色で刺すとシンプルで大人の雰囲気に。

◎DMC25番刺繍糸—3866
※Sはステッチの略、（ ）の中の数字は本数

アウトラインS(2)

フレンチナッツS(6)
＊中央→回りの順に刺す

レゼーデージーS(2)

チェーンS(2)

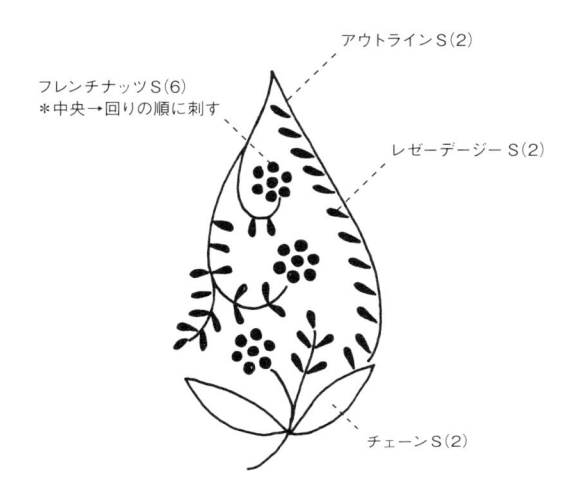

Hydrangea　　あじさい
Page.26

立体感のある花びらが引き立つよう、
葉と茎は2本どりの細かいステッチで表現しました。
しとしとと雨音が聞こえてきそうな静かなあじさいの図案です。

※Sはステッチの略、（ ）の中の数字は本数、
色番号はすべてDMC25番刺繍糸

レゼーデージーS＋
ストレートS(6)
ecru

＊花びらは葉を
刺し終えた上から

チェーンS(2)
895

アウトラインS(2)
ecru

チェーンS(2)
829

チェーンS(2)
3363

June bride ジューンブライド

Page.25

2羽の白鳩を祝うように小花をちりばめた、ブライダルにぴったりの図案。
羽の筋はチェーン・ステッチの上から刺します。
小花は簡単なので、ぜひたくさん刺してみて！

※Sはステッチの略、（ ）の中の数字は本数、
色番号はすべてDMC25番刺繍糸

フレンチナッツS(4)
ecru

アウト
ラインS(2) ・・・ フレンチナッツS(4)
3346　　　　834

レゼーデージーS＋
ストレートS(4)
3834

サテンS(6)
834

フレンチナッツS(6)
645

チェーンS(3)
ecru

チェーンSの上から
アウトラインS(2) 645

Sand shell　砂場と貝殻

Page.27

貝やヒトデやサンゴ……砂浜にいる生き物たちをちりばめた1色模様。
ひとつよりたくさん刺したほうが見栄えよく仕上がります。

◎DMC25番刺繍糸―791
※指定以外はアウトラインS(3)、
　・はフレンチナッツS(3)
※Sはステッチの略、( )の中の数字は本数

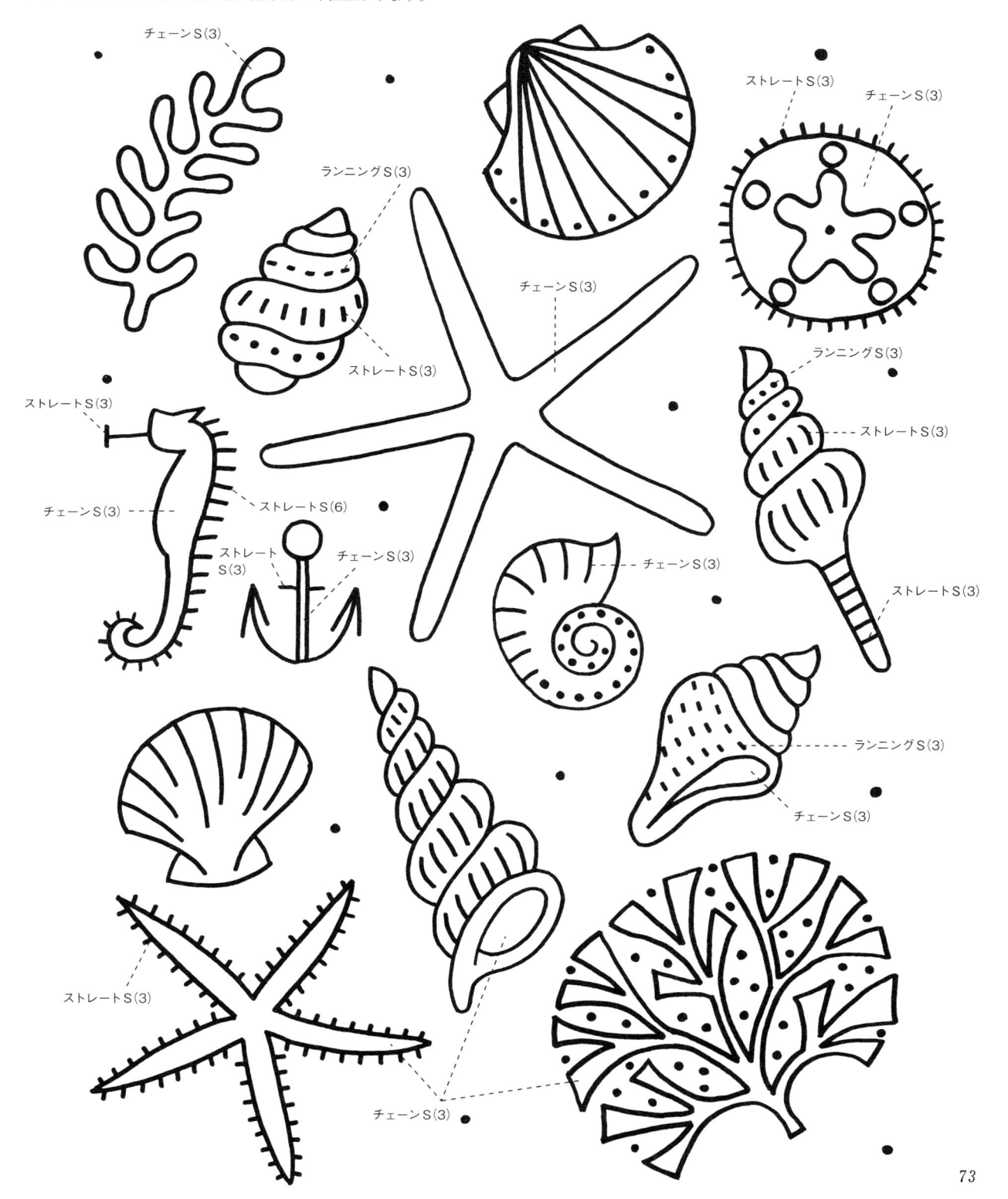

Swimmer スイマー

Page.28

サテン・ステッチで表現した水着は、肌の上からかぶせるように刺して。
糸の立体感、艶感が引き立ちます。
29ページの帽子の刺繍も、同じ色の糸を使用しています。

※顔と帽子、水着はすべてサテンS(6)、体はすべてチェーンS(2)
※Sはステッチの略、( )の中の数字は本数、
　色番号はすべてDMC25番刺繍糸

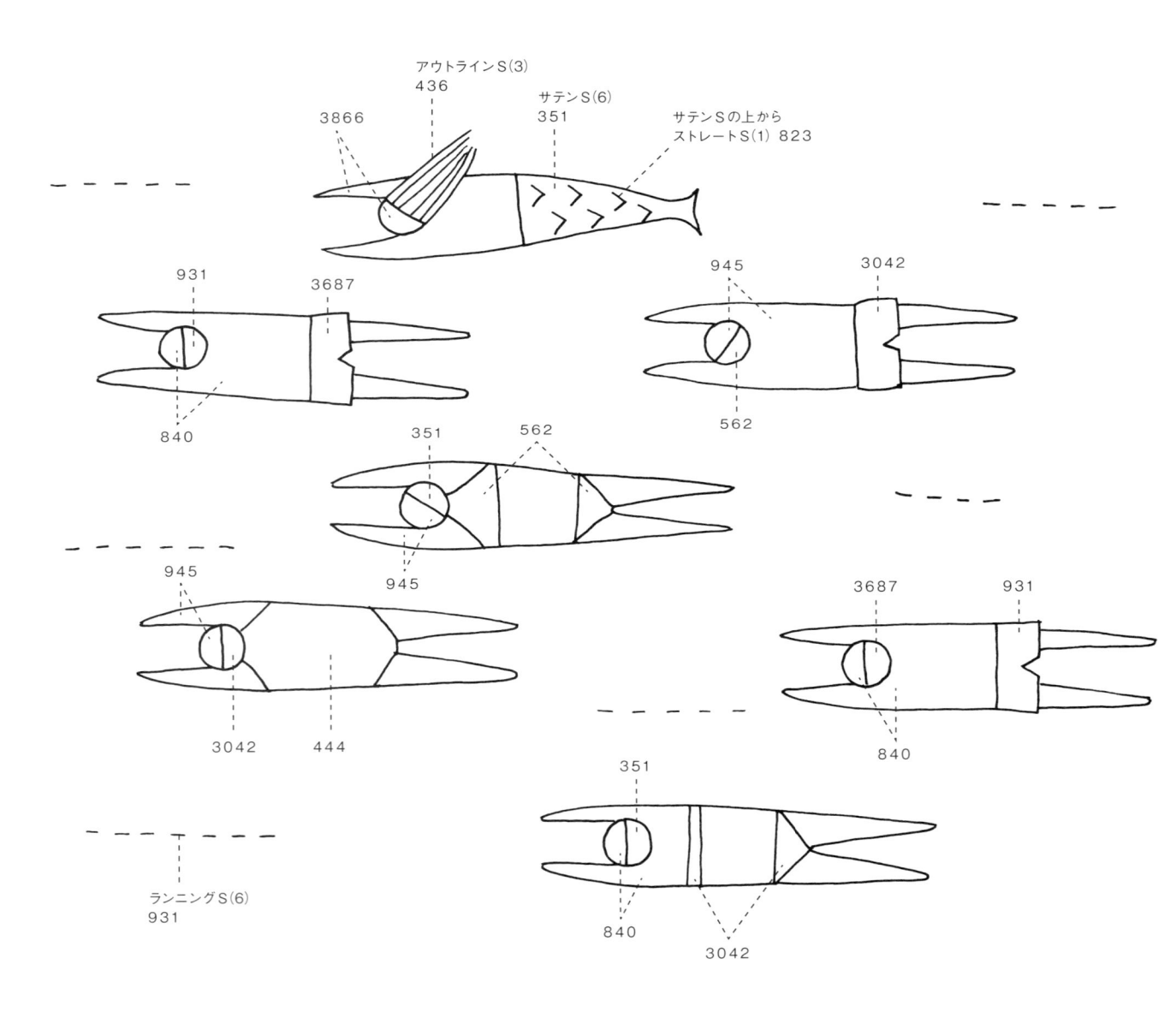

アウトラインS(3)
436

3866

サテンS(6)
351

サテンSの上から
ストレートS(1) 823

931　　3687

945　　3042

840

562

351　　562

945

945

3687　　931

3042　　444

840

ランニングS(6)
931

351

840　　3042

Sea wreath　海のリース

Page.30

小さな熱帯魚やクジラ、サンゴやヒトデ……。
海のかわいらしい仲間たちのリース。
最後にポイントとなるフレンチナッツ・ステッチを刺して仕上げましょう。

※指定以外はチェーンS（2）
※指定以外は2本どり
※Sはステッチの略、（ ）の中の数字は本数、
　色番号はすべてDMC25番刺繍糸

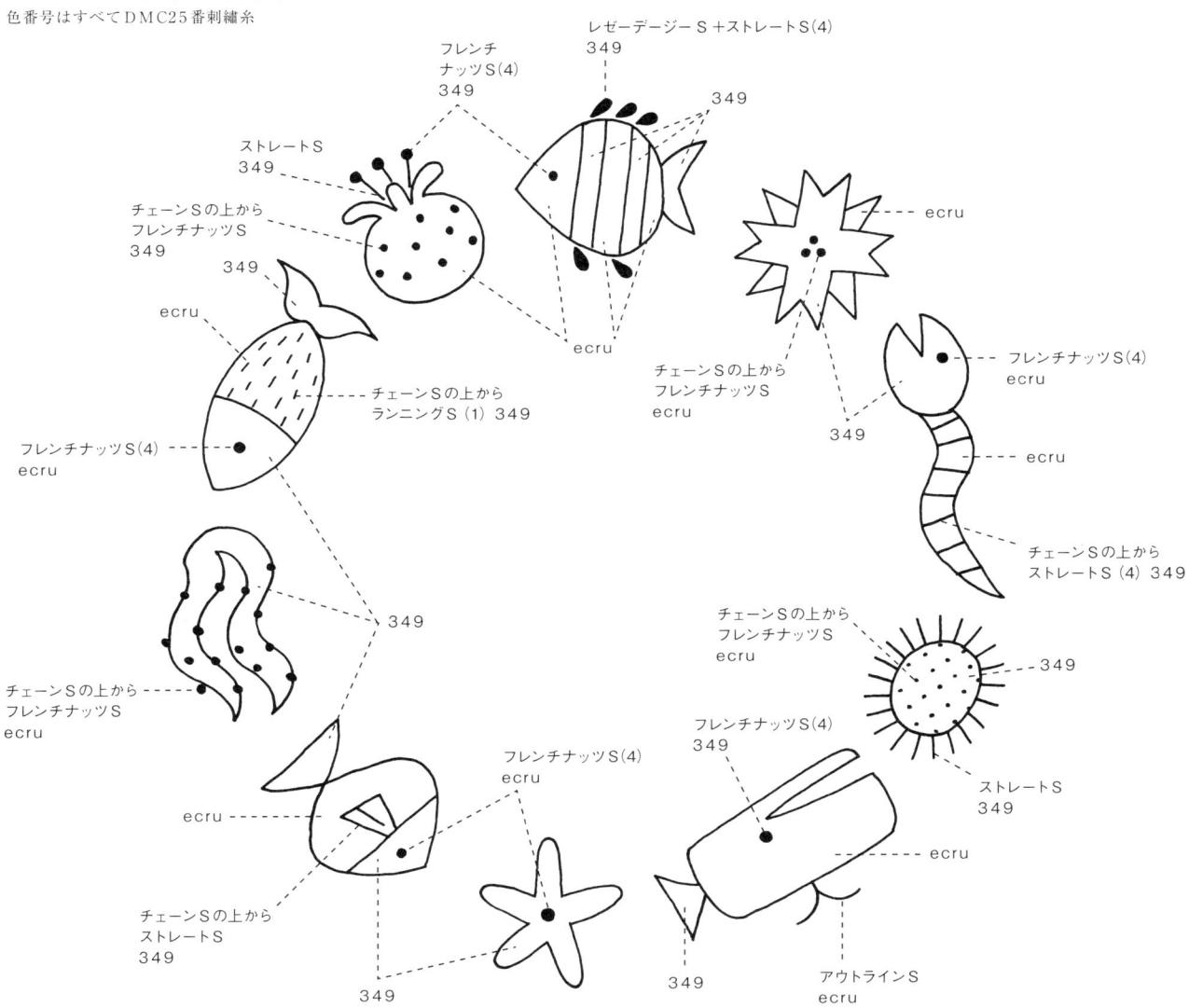

レゼーデージーS＋ストレートS(4)
349

フレンチナッツS(4)
349

349

ストレートS
349

チェーンSの上から
フレンチナッツS
349

349

ecru

ecru

チェーンSの上から
ランニングS(1) 349

フレンチナッツS(4)
ecru

ecru

フレンチナッツS(4)
ecru

349

チェーンSの上から
フレンチナッツS
ecru

ecru

チェーンSの上から
ストレートS(4) 349

349

チェーンSの上から
フレンチナッツS
ecru

349

チェーンSの上から
フレンチナッツS
ecru

フレンチナッツS(4)
349

ストレートS
349

ecru

チェーンSの上から
ストレートS
349

ecru

349

アウトラインS
ecru

75

Succulent　サキュレント

Page.31

さまざまなグリーン糸を使ったモダンなサボテン模様。
サボテンの棘や模様などは、チェーン・ステッチの上から刺しましょう。

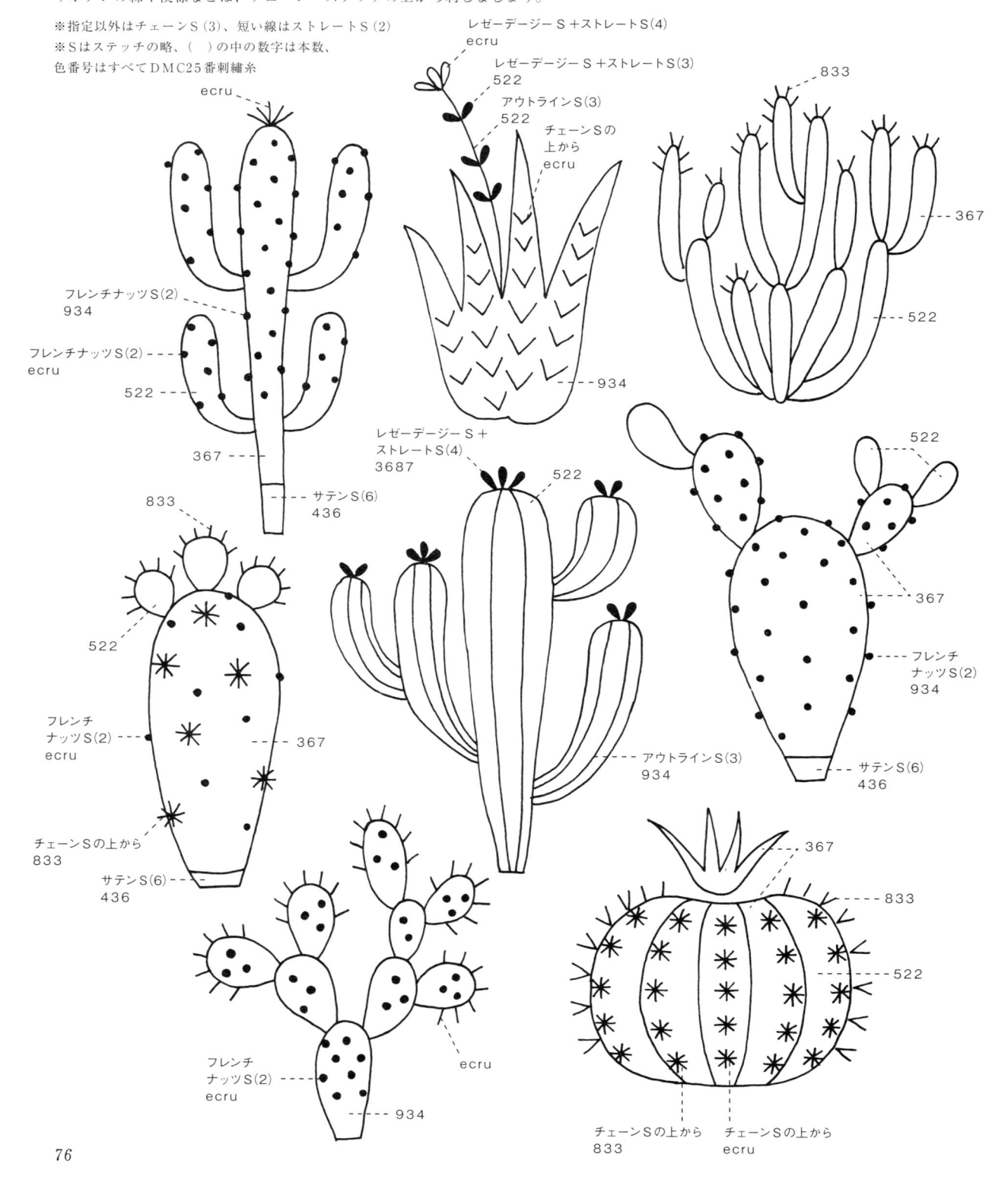

※指定以外はチェーンS(3)、短い線はストレートS(2)
※Sはステッチの略、( )の中の数字は本数、
　色番号はすべてDMC25番刺繍糸

ecru

レゼーデージーS＋ストレートS(4)
ecru

レゼーデージーS＋ストレートS(3)
522

アウトラインS(3)
522

チェーンSの
上から
ecru

833

367

522

フレンチナッツS(2)
934

フレンチナッツS(2)
ecru

522

367

サテンS(6)
436

833

レゼーデージーS＋
ストレートS(4)
3687

522

522

367

フレンチ
ナッツS(2)
ecru

367

フレンチ
ナッツS(2)
934

チェーンSの上から
833

サテンS(6)
436

アウトラインS(3)
934

サテンS(6)
436

367

833

522

フレンチ
ナッツS(2)
ecru

ecru

934

チェーンSの上から
833

チェーンSの上から
ecru

76

Summer flower garden　夏の花園

Page.32

※指定以外はチェーンS（3）、・はフレンチナッツS
※Sはステッチの略、（ ）の中の数字は本数、
色番号はすべてDMC25番刺繍糸

ジャングル深くに生える未発見の植物。少し毒々しい、不思議な花の間にはトカゲも見え隠れ。
立体感を出すフレンチナッツ・ステッチは最後に刺して。

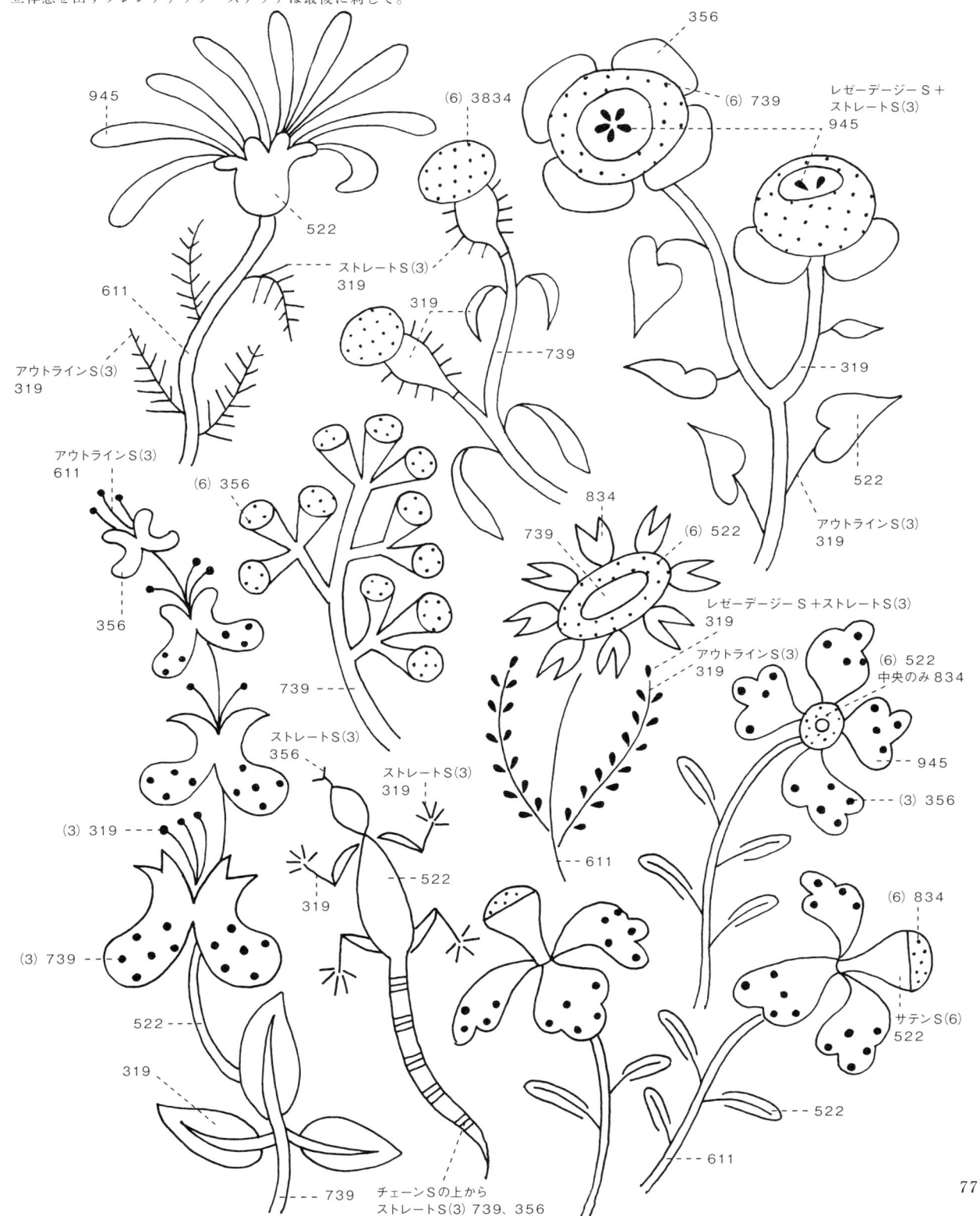

945
(6) 3834
356
(6) 739
レゼーデージーS＋
ストレートS（3）
945
522
ストレートS（3）
319
611
319
739
アウトラインS（3）
319
319
アウトラインS（3）
611
522
アウトラインS（3）
319
(6) 356
834
356
739
(6) 522
レゼーデージーS＋ストレートS（3）
319
アウトラインS（3）
319
(6) 522
中央のみ834
ストレートS（3）
356
ストレートS（3）
319
945
(3) 319
(3) 356
611
(6) 834
(3) 739
522
サテンS（6）
522
319
522
739
チェーンSの上から
ストレートS（3）739、356
611

77

Tropical bird 熱帯の鳥
Page.33

チェーン・ステッチで埋めるところの多い図案ですが、
糸の本数を増やしているので、比較的刺しやすいでしょう。

※指定以外はチェーンS（3）。太線はアウトラインS（3）、
ただし、短い線はストレートS（3）で刺す。・はフレンチナッツS（6）
※Sはステッチの略、（ ）の中の数字は本数、
色番号はすべてDMC25番刺繍糸

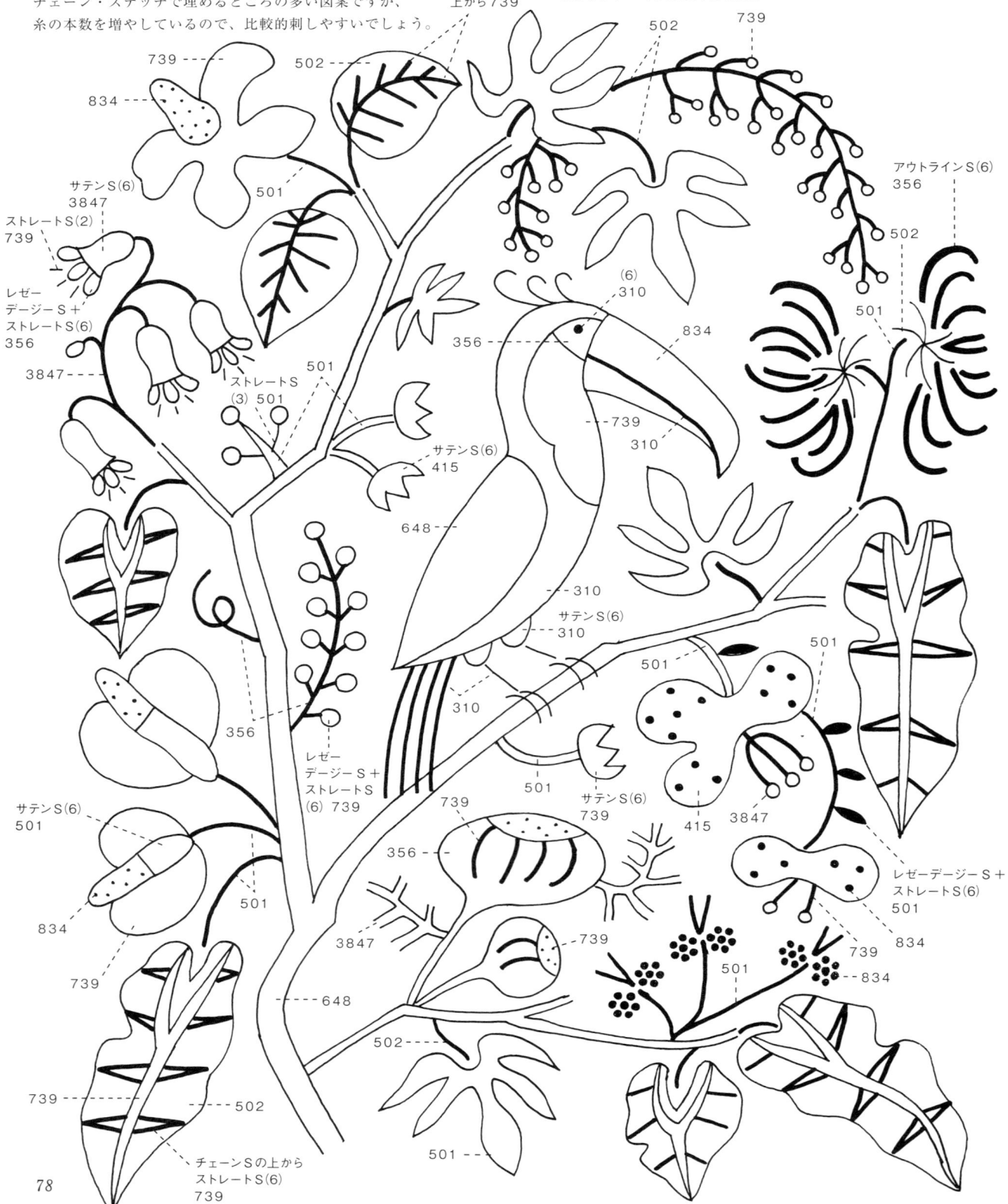

Butterfly チョウ

Page.34

シックな秋色の5種類のチョウ。
羽のサテン・ステッチは、中心に向かって
放射状に刺していくと美しく仕上がります。

※指定以外はチェーンS(3)、・はフレンチナッツS
※Sはステッチの略、( )の中の数字は本数、
色番号はすべてDMC25番刺繍糸

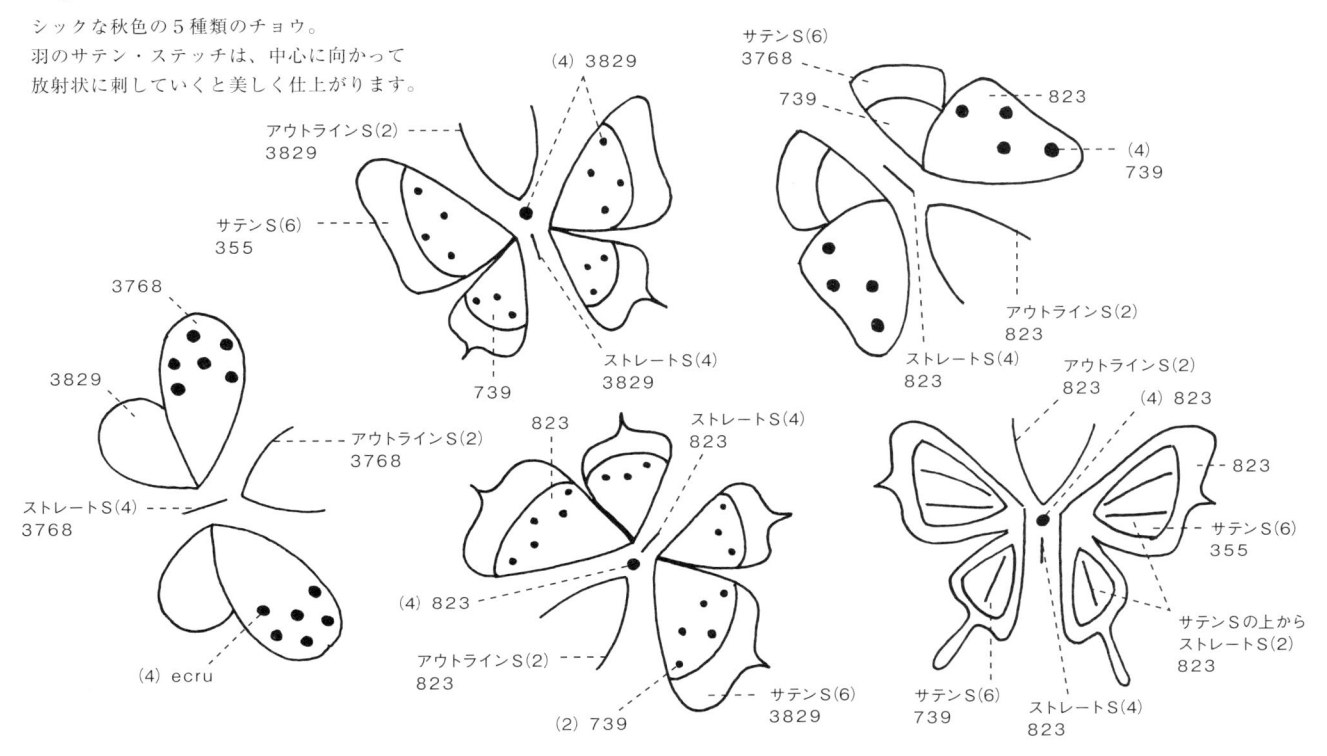

(4) 3829
アウトラインS(2) 3829
サテンS(6) 355
3768
3829
アウトラインS(2) 3768
ストレートS(4) 3768
(4) ecru
739
ストレートS(4) 3829
(4) 823
アウトラインS(2) 823
(2) 739
サテンS(6) 3829
サテンS(6) 3768
739
823
ストレートS(4) 823
アウトラインS(2) 823
サテンS(6) 823
ストレートS(4) 823
(4) 739
アウトラインS(2) 823
(4) 823
823
サテンS(6) 355
サテンS(6) 739
ストレートS(4) 823
サテンSの上から
ストレートS(2) 823

Halloween pumpkin ハロウィーンパンプキン

Page.41

4種類のかぼちゃを、グレーとオレンジの大人っぽい組合せで。
かぼちゃの筋はチェーン・ステッチの上からアウトライン・ステッチで刺します。

※Sはステッチの略、( )の中の数字は本数、
色番号はすべてDMC25番刺繍糸

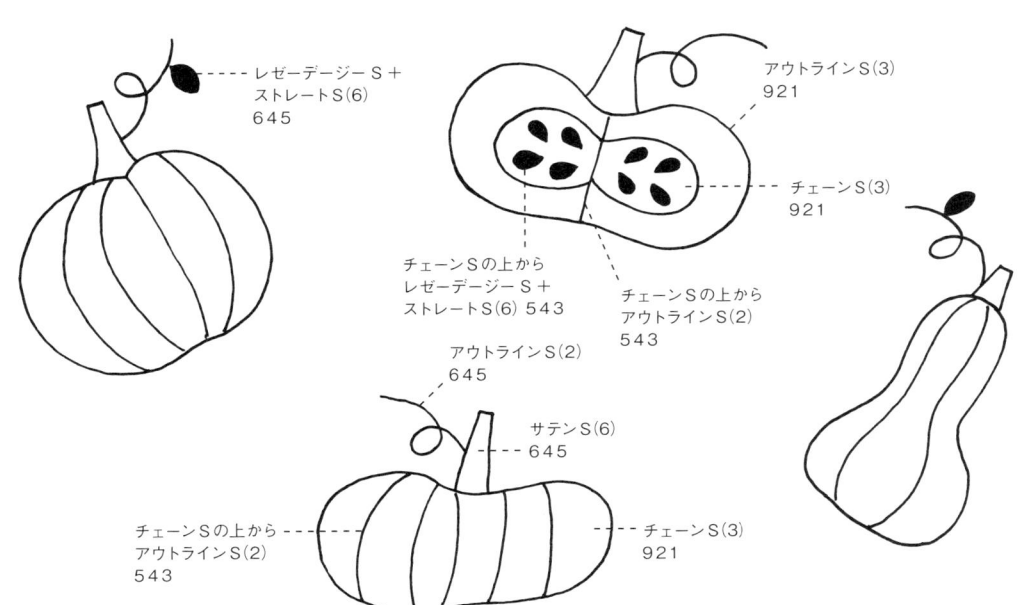

レゼーデージーS＋ストレートS(6) 645
アウトラインS(3) 921
チェーンS(3) 921
チェーンSの上から
レゼーデージーS＋
ストレートS(6) 543
チェーンSの上から
アウトラインS(2) 543
アウトラインS(2) 645
サテンS(6) 645
チェーンSの上から
アウトラインS(2) 543
チェーンS(3) 921

Vegetable 野菜
Page.35

収穫の秋。さまざまな野菜や果物を色彩豊かに表現しています。
ワンポイントにもおすすめの図案です。

※指定以外はチェーンS（2）、太線はアウトラインS（4）
※Sはステッチの略、（ ）の中の数字は本数、
　色番号はすべてDMC25番刺繍糸

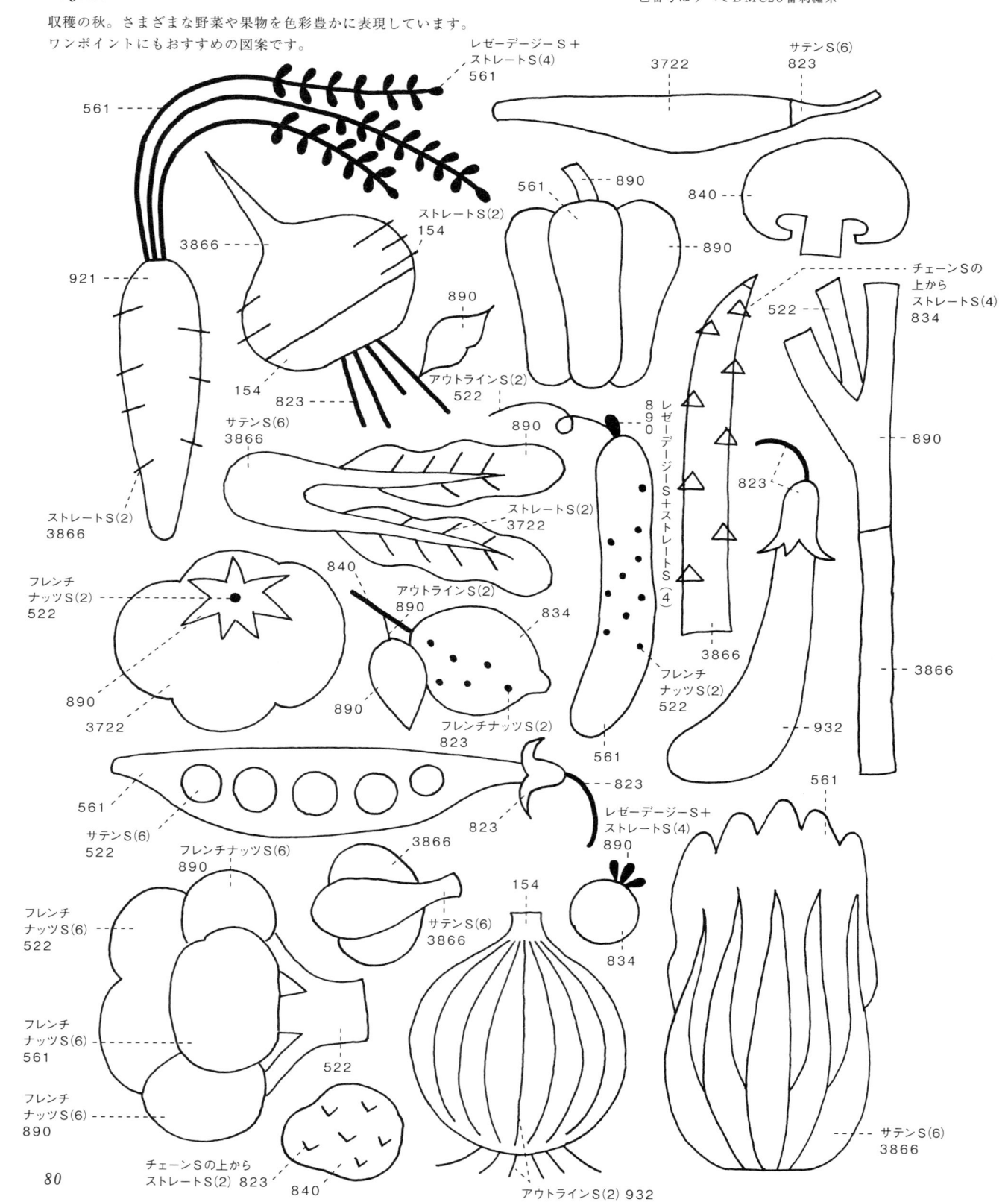

- 561
- レゼーデージーS＋ストレートS（4） 561
- 3722
- サテンS（6） 823
- 921
- 3866
- 561
- 890
- 840
- ストレートS（2） 154
- 890
- チェーンSの上からストレートS（4) 834
- 890
- 522
- 154
- 823
- アウトラインS（2） 522
- サテンS（6） 3866
- 890
- 823
- ストレートS（2） 3866
- ストレートS（2） 3722
- 890
- レゼーデージーS＋ストレートS（4）
- 890
- フレンチナッツS（2） 522
- 840
- アウトラインS（2） 834
- 890
- 890
- フレンチナッツS（2） 522
- 3866
- 3722
- 890
- フレンチナッツS（2） 823
- 561
- 932
- 561
- サテンS（6） 522
- 3866
- 823
- レゼーデージーS＋ストレートS（4） 890
- フレンチナッツS（6) 890
- 154
- フレンチナッツS（6） 522
- 3866
- サテンS（6） 3866
- 834
- フレンチナッツS（6） 561
- 522
- フレンチナッツS（6） 890
- チェーンSの上からストレートS（2） 823
- 840
- アウトラインS（2） 932
- サテンS（6） 3866

Leaf　木の葉

Page.36

秋の葉や種を記号のように簡略化した1色の図案。
アウトライン・ステッチで線を描くように刺しましょう。
37ページのエプロンは、DMC25番刺繍糸の832を使用しています。

◎DMC25番刺繍糸—ecru
※指定以外はアウトラインS(3)、短い線はストレートS(3)
※Sはステッチの略、( )の中の数字は本数

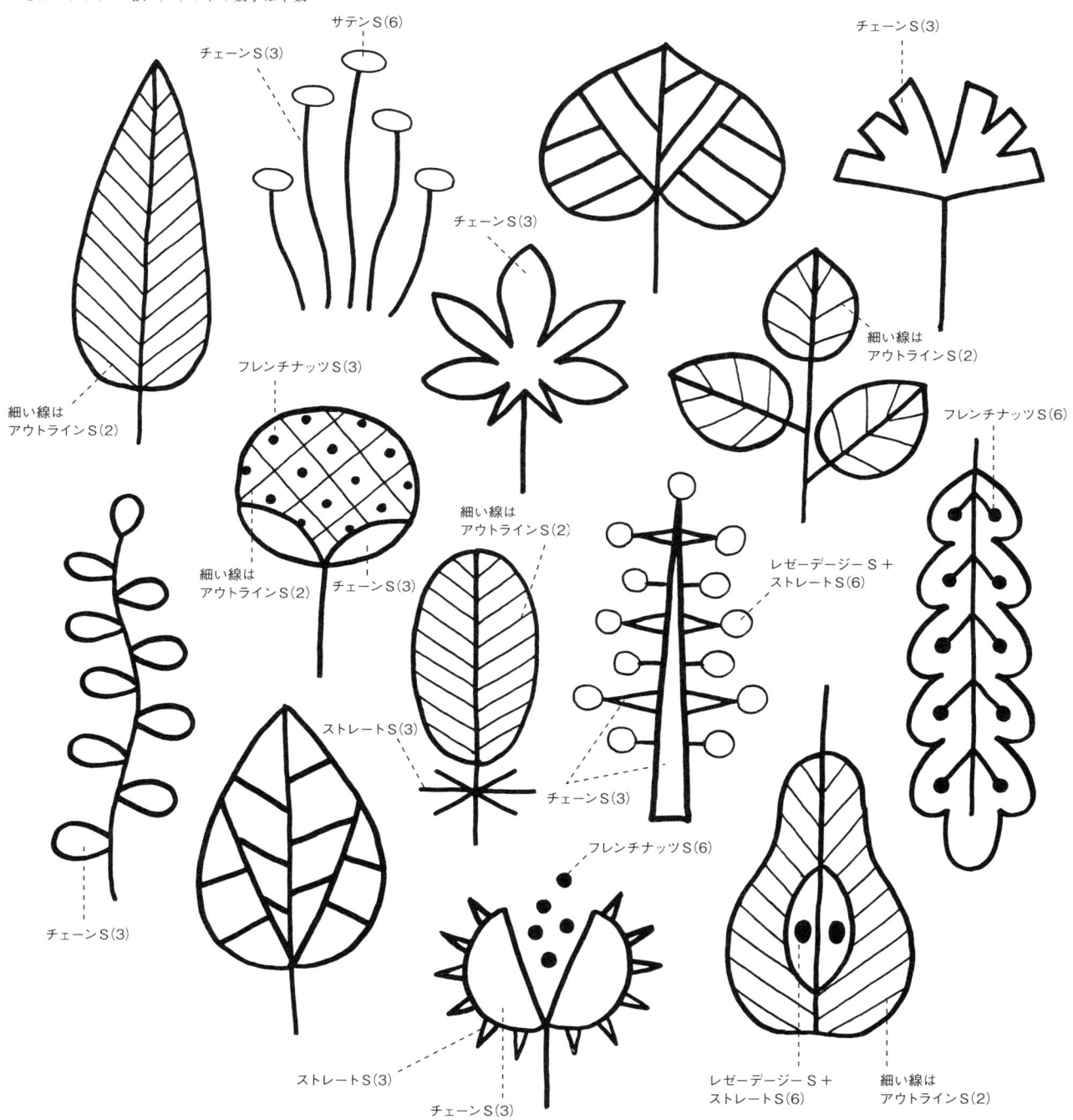

Seed 種の模様
Seed ver. 10 colors 種の模様10色

Page.38, 39

1色は線をなぞるように刺し進めましょう。
10色のほうはステッチが変わり、少しだけ難易度も上がります。

◎ 1色のDMC25番刺繍糸—ecru
※指定以外の太線はアウトラインS(3)
※〈 〉の中の数字は10色のDMC25番刺繍糸の色番号
※Sはステッチの略、( )の中の数字は本数

フレンチナッツS(6) 〈739〉
ストレートS(3) 〈611〉
チェーンS(3) 〈839〉
サテンS(6) 〈920〉
サテンS(6) 〈936〉
〈チェーンS(3) 645の上から アウトラインS(2) 739〉
フレンチナッツS(3)
フレンチナッツS(6) 〈3829〉
〈サテンS(3) 739の上から フレンチナッツS(3) 632〉
チェーンS(3) 〈645〉
サテンS(6) 〈632〉
サテンS(6) 〈739〉
サテンS(6) 〈924〉
ストレートS(3) 〈739〉
レゼーデージーS＋ ストレートS(6) 〈3041〉
サテンS(6) 〈936〉
フレンチナッツS(3) 〈739〉
〈839〉
フレンチナッツS(3) 〈739〉
チェーンS(3) 〈839〉
レゼーデージーS＋ ストレートS(4) 〈611〉
ストレートS(3) 〈645〉
〈中の太線はアウトラインS(3) 739 すきまをチェーンS(3) 936で埋める〉
チェーンS(3) 〈645〉
〈611〉

Autumn pattern

秋の幾何学模様

Page.40

ふっくらした立体感と、秋らしいモダンな色合いがポイントの小さな花のパターン。
つなげてたくさん刺すと豪華に。

※Sはステッチの略、（ ）の中の数字は本数、
色番号はすべてDMC25番刺繍糸

レゼーデージーS＋
ストレートS(6)
739

フレンチナッツS(6)
648

ストレートS(2)
3362

アウトラインS(2)
3362

レゼーデージーS(2)
3362

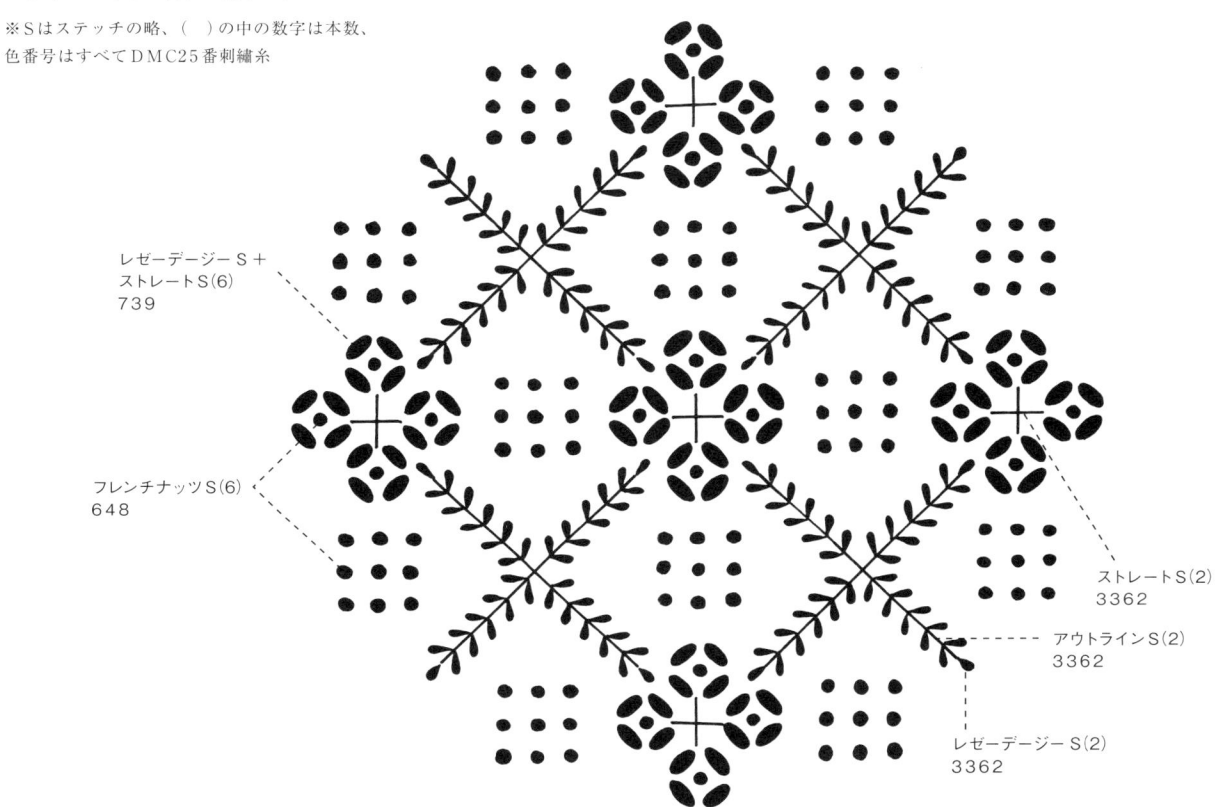

Pomegranate tree

ザクロの木

Page.43

インドのアンティーク模様を参考にした樹パターン。
ぷっくりとしたザクロの実がなる、かわいい図案です。

※Sはステッチの略、（ ）の中の数字は本数、
色番号はすべてDMC25番刺繍糸

レゼーデージーS＋
ストレートS(3)
3777

フレンチナッツS(6)
3777

レゼーデージーS(2)
890

アウトラインS(2)
840

チェーンS(2)
840

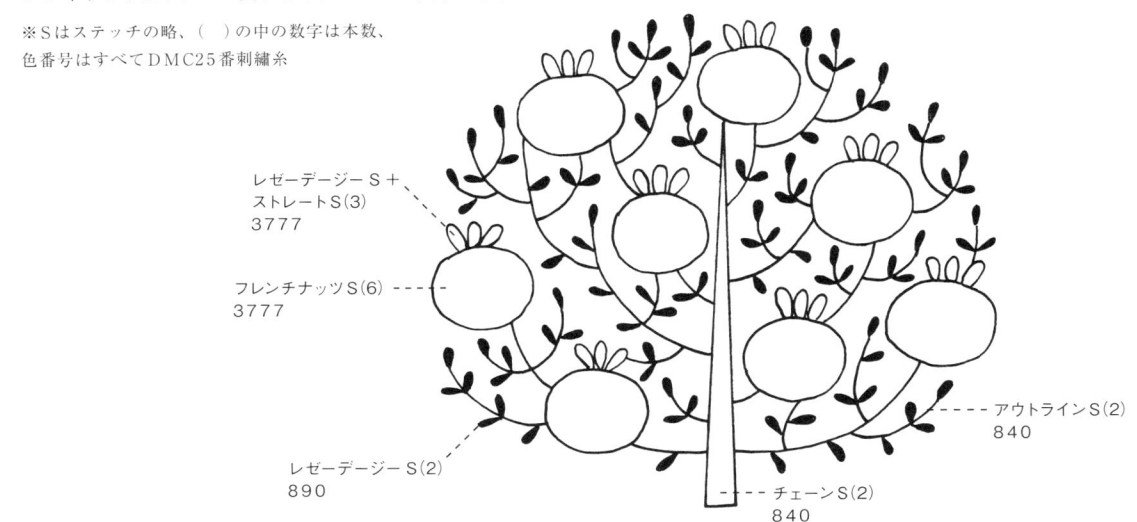

Deep forest 深い森
Page.42

太い線で表現された枝と、素朴な鳥が飛ぶ秋深い森をイメージしました。
2色でシックに表現していますが、さらに色を足すとポップな印象になります。

※指定以外はチェーンS(3)
※Sはステッチの略、( )の中の数字は本数、
色番号はすべてDMC25番刺繡糸

- アウトラインS(6) 739
- 823
- フレンチナッツS(6) 739
- ストレートS(3) 823
- フレンチナッツS(6) 739
- ストレートS(3) 823
- 739
- レゼーデージーS + ストレートS(6) 739
- フレンチナッツS(6) 823
- サテンS(6) 823
- チェーンSの上から ストレートS(3) 823

Autumn tree 秋の木
Page.44

チェーン・ステッチで輪郭線を描きます。
面が少なく1色なので、
大きくても刺しやすい図案です。

◎DMC25番刺繡糸―3777
※指定以外の太線はチェーンS(2)、
細線はアウトラインS(2)、
・はフレンチナッツS
※Sはステッチの略、( )の中の数字は本数

- フレンチナッツS(6) 739
- ストレートS(3) 823
- 739
- 739

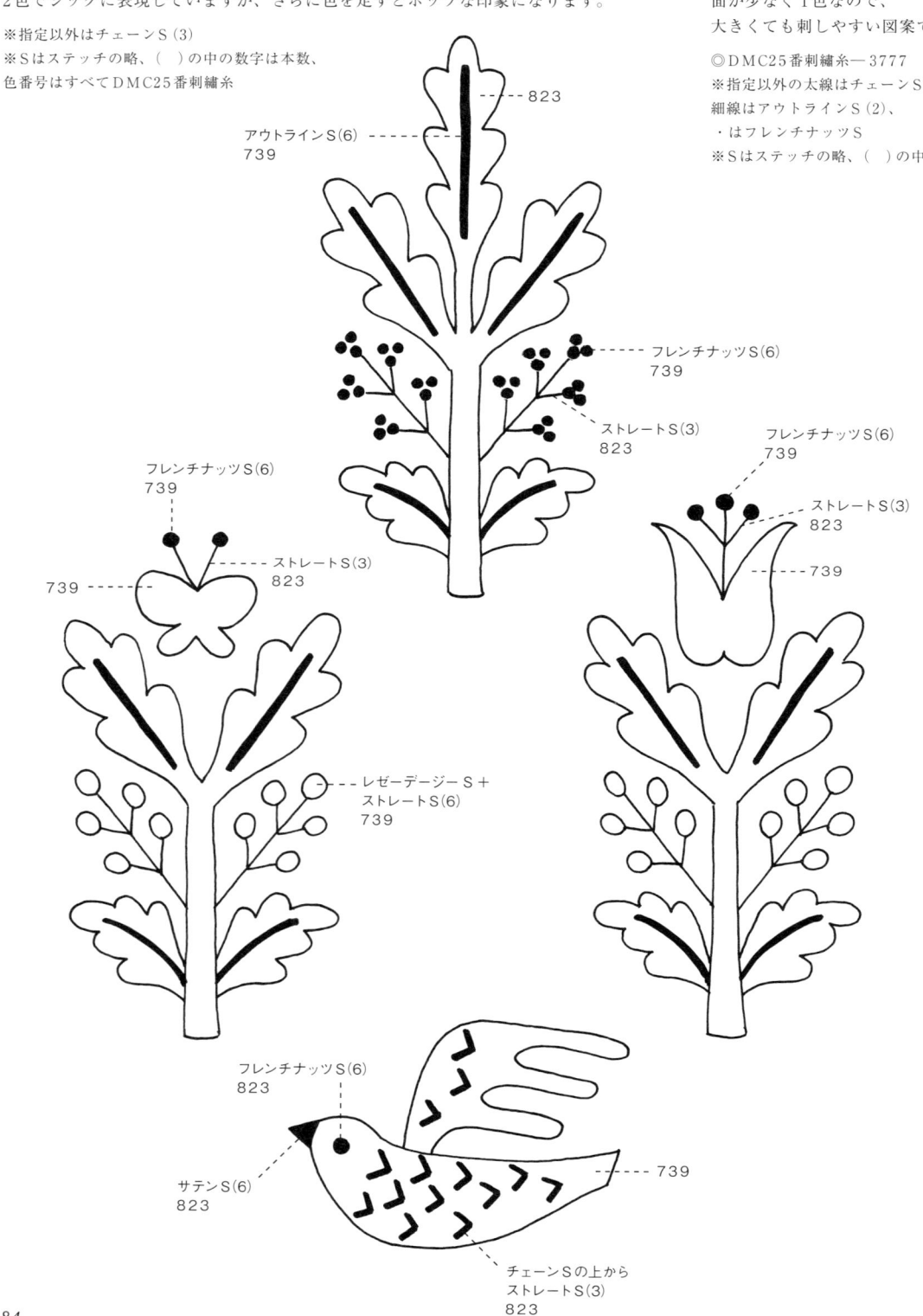

ストレートS(6)

(6)

ストレートS(6)

ストレートS(2)

(2)

レゼーデージーS＋
ストレートS(6)

ランニングS(3)

85

Christmas tree クリスマスツリー

Page.45

トナカイや羊、鳥や人など、かわいいモチーフが並ぶ、
クロス・ステッチ図案風のクリスマスツリー。
ほぼ1色なので大人かわいくまとまります。

◎DMC25番刺繡糸は、動物の目のみecru。それ以外は817
※指定以外はアウトラインS（2）。ただし、短い線はストレートS（2）で
刺す。・はフレンチナッツS
※Sはステッチの略、（ ）の中の数字は本数

(6)

チェーンS（2）

レゼーデージーS＋
ストレートS（4）

レゼーデージーS
（2）

(4)
(2)
チェーンS（2）

チェーンS（2）

(2)

(2)
チェーンS（2）

レゼーデージーS＋
ストレートS（6）

(6)
(2)

チェーンS（2）

レゼーデージーS（4）

(2)

(6)

チェーンS（2）

(2)
レゼーデージーS＋
ストレートS（6）

レゼーデージーS＋
ストレートS（6）

レゼーデージーS＋
ストレートS（4）

(6)

レゼーデージーS＋
ストレートS（4）

チェーンS（2）
(6)
チェーンS（2）
(2)

ストレートS（2）

レゼーデージーS＋
ストレートS（4）

チェーンS（2）

ストレートS（4）　チェーンS（2）　チェーンS（2）

Falling star　流れ星
Page.48

森から見える夜空に、輝く大きな流星。
木の色を白に替えて雪の積もった木、赤に替えれば紅葉など、
さまざまな季節を楽しめます。
47ページのハンカチの刺繍も、同じ色の糸を使用しています。

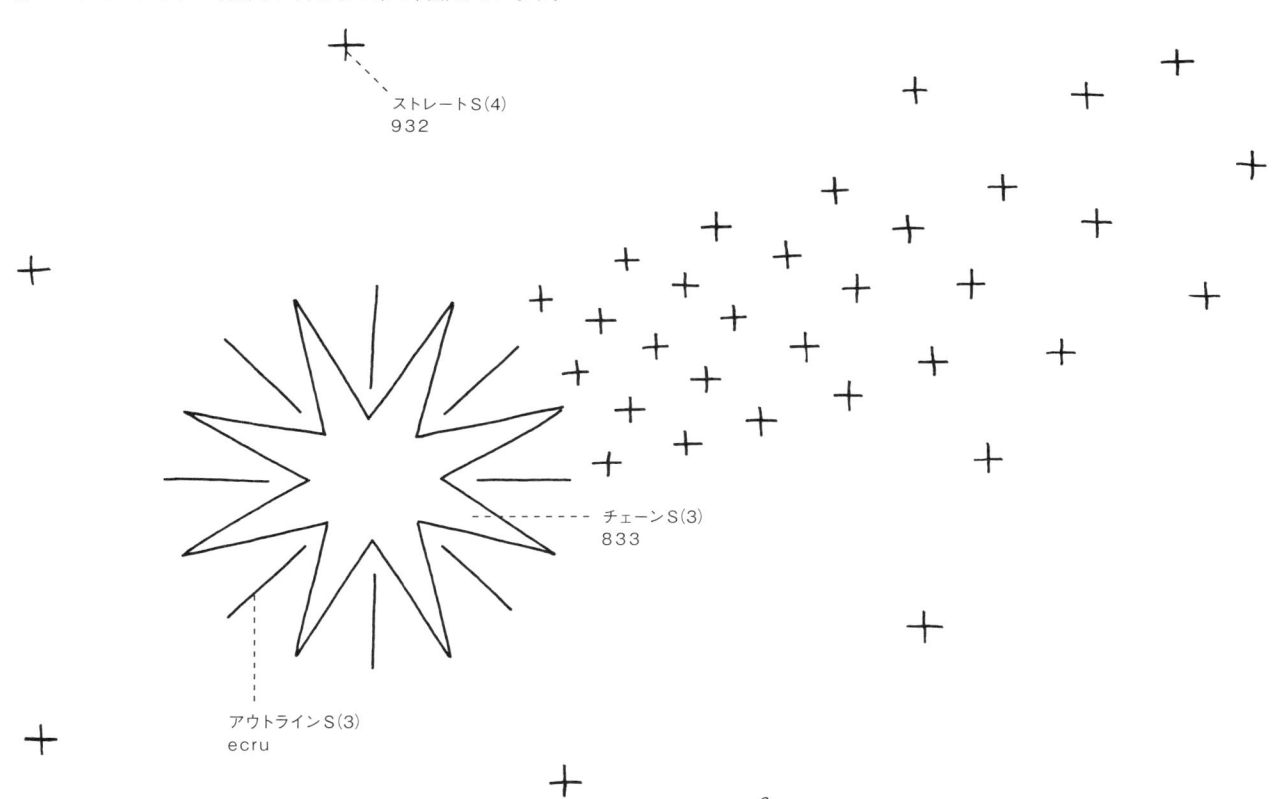

※Sはステッチの略、（　）の中の数字は本数、
色番号はすべてＤＭＣ25番刺繍糸

ストレートS(4)
932

チェーンS(3)
833

アウトラインS(3)
ecru

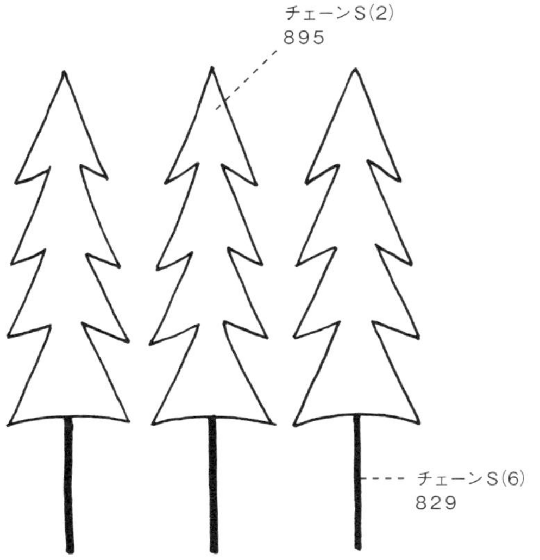

チェーンS(2)
895

チェーンS(6)
829

Angel　星空の天使
Page.46

星空に舞う小さな天使の図案。
ラッパを持つ手と、髪の毛は最後に刺すのがポイントです。

※Sはステッチの略、（　）の中の数字は本数、
色番号はすべてＤＭＣ25番刺繍糸

チェーンS(3)
B5200

ストレートS(4)
B5200

フレンチ
ナッツS(6)
840

ストレートS(6)
832

レゼーデージーS＋
ストレートS(6)
543

サテンS(6)
543

サテンS(6)
832

ラッパの上から
チェーンS(6)
543

チェーンS(3)
932

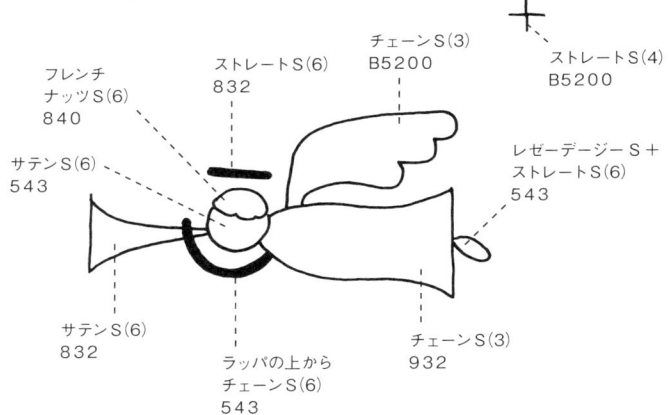

樋口愉美子　ひぐち・ゆみこ

1975年生れ。多摩美術大学卒業後、ハンドメードバッグデザイナーとして活動。ショップでの作品販売や作品展を行なった後、2008年より刺繡作家としての活動を開始する。植物や昆虫など生物をモチーフにしたオリジナル刺繡を製作発表している。著書に『1色刺繡と小さな雑貨』『2色で楽しむ刺繡生活』『刺繡とがま口』『樋口愉美子の刺繡時間』『樋口愉美子の動物刺繡』『樋口愉美子 季節のステッチ』『樋口愉美子 つながる刺繡』がある。

https://yumikohiguchi.com/

材料協力	リネンバード　二子玉川 東京都世田谷区玉川 3-12-11 Tel. 03-5797-5517 http://www.linenbird.com/
	DMC Tel. 03-5296-7831 http://www.dmc.com（グローバルサイト） http://www.dmc-kk.com（WEBカタログ）
撮影協力	AWABEES Tel. 03-5786-1600
	UTUWA Tel. 03-6447-0070
ブックデザイン	塚田佳奈（ME&MIRACO）
撮影	masaco
スタイリング	荻野玲子
ヘアメイク	KOMAKI
モデル	レイチェル・マックマスター（Sugar&Spice）
DTP	WADE手芸制作部
校閲	向井雅子
編集	土屋まり子（スリーシーズン） 西森知子（文化出版局）

樋口愉美子のステッチ12か月

2015年 9 月14日　第 1 刷発行
2022年 9 月 1 日　第 8 刷発行

著　者　　樋口愉美子
発行者　　濱田 勝宏
発行所　　学校法人文化学園 文化出版局
　　　　　〒151-8524 東京都渋谷区代々木 3-22-1
　　　　　電話 03-3299-2485（編集）　03-3299-2540（営業）
印刷・製本所　　株式会社文化カラー印刷

©Yumiko Higuchi 2015 Printed in Japan
本書の写真、カット及び内容の無断転載を禁じます。

• 本書のコピー、スキャン、デジタル化等の無断複製は著作権法上での例外を除き禁じられています。本書を代行業者等の第三者に依頼してスキャンやデジタル化することは、たとえ個人や家庭内での利用でも著作権法違反になります。
• 本書で紹介した作品の全部または一部を商品化、複製頒布、及びコンクールなどの応募作品として出品することは禁じられています。
• 撮影状況や印刷により、作品の色は実物と多少異なる場合があります。ご了承ください。

文化出版局のホームページ　　https://books.bunka.ac.jp/